VOL. 47

Dados Internacionais de Catalogação na Publicação (CIP)
(Câmara Brasileira do Livro, SP, Brasil)

Keleman, Stanley.
  Padrões de distresse: agressões emocionais e forma humana / Stanley Keleman [tradução de Myrthes Suplicy Vieira ; revisão técnica de Regina Favre]. — São Paulo: Summus, 1992.
  (Novas buscas em psicoterapia; v. 47)

  Título original: Patterns of Distress, Emotional Insults and Human Forman
  ISBN 978-85-323-0389-9

  1. Estresse (Fisiologia) 2. Estresse (Psicologia) 3. Estresse em crianças I. Título.   NLM-WM 172
  92-0899   CDD-616.89

Índice para catálogo sistemático:

1. Distresse : Psiquiatria : Medicina 616.89
2. Estresse : Psiquiatria : Medicina 616.89

Compre em lugar de fotocopiar.
Cada real que você dá por um livro recompensa seus autores
e os convida a produzir mais sobre o tema;
incentiva seus editores a encomendar, traduzir e publicar
outras obras sobre o assunto;
e paga aos livreiros por estocar e levar até você livros
para a sua informação e o seu entretenimento.
Cada real que você dá pela fotocópia não autorizada de um livro
financia o crime
e ajuda a matar a produção intelectual em todo o mundo.

Padrões de distresse

Agressões emocionais e forma humana

STANLEY KELEMAN

summus editorial

Do original em língua inglesa
PATTERNS OF DISTRESS, EMOTIONAL INSULTS AND HUMAN FORM
Copyright © 1989 by Stanley Keleman
Direitos desta tradução reservados por Summus Editorial

Tradução: **Myrthes Suplicy Vieira**
Revisão técnica: **Regina Favre**
Capa: **Ettore Bottini**

Summus Editorial
Departamento editorial
Rua Itapicuru, 613 – 7º andar
05006-000 – São Paulo – SP
Fone: (11) 3872-3322
http://www.summus.com.br
e-mail: summus@summus.com.br

Atendimento ao consumidor
Summus Editorial
Fone: (11) 3865-9890

Vendas por atacado
Fone: (11) 3873-8638
e-mail: vendas@summus.com.br

Impresso no Brasil

NOVAS BUSCAS EM PSICOTERAPIA

Esta coleção tem como intuito colocar ao alcance do público interessado as novas formas de psicoterapia que vêm se desenvolvendo mais recentemente em outros continentes.

Tais desenvolvimentos têm suas origens, por um lado, na grande fertilidade que caracteriza o trabalho no campo da psicoterapia nas últimas décadas, e, por outro, na ampliação das solicitações a que está sujeito o psicólogo, por parte dos clientes que o procuram.

É cada vez maior o número de pessoas interessadas em ampliar suas possibilidades de experiência, em desenvolver novos sentidos para suas vidas, em aumentar sua capacidade de contato consigo mesmas, com os outros e com os acontecimentos.

Estas novas solicitações, ao lado das frustrações impostas pelas limitações do trabalho clínico tradicional, inspiram a busca de novas formas de atuar junto ao cliente.

Embora seja dedicada às novas gerações de psicólogos e psiquiatras em formação, e represente enriquecimento e atualização para os profissionais filiados a outras orientações em psicoterapia, esta coleção vem suprir o interesse crescente do público em geral pelas contribuições que este ramo da Psicologia tem a oferecer à vida do homem atual.

Sumário

Apresentação 7

Introdução 9

Desafios ao processo formativo 11
Sydney: a criança esmagada 32
Sharon: um encontro com a mortalidade 36

A ruptura somático-emocional 41
Kevin: o choque inesperado 56
Melissa: uma criança adulta 61

Procedimento somático-emocional para desorganizar uma agressão 65
Rigidez e espasticidade 67
Puxar para cima, supresa, pavor 68
Susto, surpresa e enrijecimento 70
Conflito e confusão 71

Filosofia clínica e *insights* práticos 75
Joan: doença em família 83
Jacob: dor e desespero 87

O que significa educação somática 93

Apresentação

Se filmássemos a vida de alguém ininterruptamente, desde seu nascimento até a morte, assistiríamos o desenrolar, fotograma por fotograma, de um destino anatômico geneticamente programado — a transformação do corpo fetal no corpo do infante, a seguir no da criança, do púbere, do adolescente, do adulto maduro, no corpo da meia idade e da velhice. Ao mesmo tempo, veríamos, momento após momento, esse mesmo corpo em seu trajeto inexorável através do tempo, construindo e desconstruindo, materialmente, com tecido, formas que combinam esse destino genético e genérico com uma história individual que gradativamente vai se inscrevendo na arquitetura anatômica.

Escolhemos *Padrões de distresse** — embora seja o último livro da obra de Këleman — como o segundo a ser publicado em português por oferecer um resumo de sua elaboração filosófica e metodológica. Imaginamos que o leitor impactado com *Anatomia Emocional* (Summus Editorial) se pergunte como trabalha esse homem.

Em *Padrões de distresse*, Keleman enfatiza a estruturação somática da experiência ocorrendo através de regras próprias da fisiologia e da anatomia da emoção, onde forças de vida e marcas de experiências assimiladas (desafios) e não assimiláveis (agressões) se combinam de maneira particular e única. Essa concepção da experiência incorporada é um enorme avanço em relação à psicologia do *Da Sein*, cuja influência é visível em seu pensamento.

Por que padrões, por que distresse?

Neste livro, Keleman desenvolve didaticamente seu *insight* de como a alteração disfuncional da forma, basicamente decorrente

---

* Aportuguesamos a palavra *distress* para distresse, significando estresse tornado estrutura permanente de funcionamento limitado por dor, sofrimento, aflição, angústia, constrangimento, isto é, diminuição penosa das possibilidades do *self*.

de excesso ou falta de limites do *self* incorporado em relação ao meio se ancora em algum nível da escala da resposta reflexa de susto a ataques originários do meio interno ou externo, isto é, a experiência do estresse se estabilizando como distresse e gerando padrões corporais, afetivos, comportamentais, limitados e repetitivos. Generoso em exemplos clínicos, fornece chaves para a organização (ou desorganização) e reorganização de padrões e suas camadas de tecidos, afetos e imagens, em formas mais funcionais, criadoras de novos territórios existenciais, maneiras mais satisfatórias de estar no mundo.

Enfim, a leitura de *Padrões* é um prazer. Desde a descoberta de toda uma linguagem que permite falar dos processos somáticos de maneira extremamente concreta, até imaginar a figura de Keleman inteligente, solidário, paciente e real, no *setting* com seu cliente.

Regina Favre
Janeiro de 1992

Introdução

A existência humana baseia-se no fato da corporificação. A corporificação é, na verdade, a condição da existência de uma pessoa. A realidade somática é o "como" uma pessoa incorpora a si mesma, o "como" ela vivencia essa corporificação e transforma experiências internas em uma forma pessoal. A corporificação é uma experiência emocional, e a experiência emocional é corporal.

A noção do corpo usualmente aceita não se aplica ao que se sabe hoje sobre a existência humana. O corpo é mais do que um objeto da consciência e talvez seja a própria consciência. O corpo é um processo — vivo, subjetivo —, uma cadeia viva de eventos que se manifesta ao longo do tempo.

A forma somática de uma pessoa indica como suas experiências a afetaram, como moldaram seu modo de agir, bem como sua existência interior. As experiências que vêm de fora ou de dentro organizam a forma da pessoa. Uma falta de cuidado constante, de interesse ou intimidade pode distorcer seu processo e reduzir suas potencialidades.

A forma humana é um processo complexo de impulsos, sentimentos, pensamentos, imagens e ações que projetam e dão corpo à vitalidade da pessoa, numa expressão transitória mas durável. A aventura básica da vida é o modo como uma pessoa organiza sua forma de existência, desorganiza aquilo que não é mais relevante e gera novas experiências para se tornar o indivíduo que ela vive e não aquele que ela imagina que tem de ser.

No desenvolvimento humano, a pessoa organiza um corpo adulto e social enquanto também aprende a enfrentar desafios e ameaças. Qualquer coisa que desafie seu *self* corporal, quer venha de dentro, quer de fora, afeta diretamente a base de seu funcionamento e muda seus sentimentos, pensamentos, ações e autopercepção. Seu relacionamento consigo, com os outros e a natureza é distorcido ou, na linguagem deste livro, sua forma é agredida.

Este livro examina como uma pessoa responde, a partir de dentro, aos desafios e agressões, traumas, choque, abuso e negligência e como essas experiências e sentimentos dolorosos, passados ou presentes, são corporificados. Essas experiências produzem uma mudança na forma, organização e atividade, assim como na percepção e imagem subjetiva. A estrutura, organização e forma da pessoa são alteradas; ela se torna menos do que o intento de seu Criador, perde a inocência e a beleza naturais e pessoais. Os estados mentais e emocionais têm uma base anatômica. Profundos conflitos emocionais e traumáticos podem não ser satisfatoriamente resolvidos enquanto não forem trabalhados somaticamente. Um útero, abdome ou cérebro contraídos dão origem a sentimentos de dor e desconforto; batimentos cardíacos acelerados, a ansiedade e expectativa; mandíbulas cerradas e ombros encolhidos, autocontrole. A terapia e o *insight* podem não mudar o que se tornou enraizado, como uma contração espástica ou um padrão de comportamento — chorar, congelar, fugir.

As pessoas entram em trabalho somático porque sentem dor psicológica ou emocional, ou porque não têm noção de si mesmas. Sentem falta de uma ordem interna ou de um sentimento de ordem, e querem descobri-la. Uma pessoa resolve sua agressão não por se dar conta dela, mas criando padrões de ação novos ou reorganizados e um corpo re-formado. Para desorganizar uma agressão, é preciso que a pessoa adquira consciência das camadas, estrutura e organização de seu padrão de agressão. Esse padrão pode, então, ser reorganizado.

Este livro baseia-se numa série de seminários profissionais realizados no ano de 1986. Além disso, alguns pacientes escreveram sobre suas próprias experiências para ilustrar vários padrões de distorção somática e como usam os princípios e exercícios somáticos para se ajudarem. Acrescentei meus comentários clínicos a alguns desses estudos de caso. Incluí também certos exercícios somáticos típicos dos procedimentos que uso em meu consultório particular ou em *workshops* abertos. Meus livros *Anatomia emocional* [Summus Editorial] e *Embodying Experience* proporcionam uma aplicação clínica do modo como trabalho com as várias formas de agressão somático-emocional, como as pessoas podem trabalhar consigo mesmas ou como aqueles que trabalham com outras pessoas podem tentar proceder.

10

Desafios ao processo formativo

O *self* é um estado somático-emocional. O contato e o relacionamento emocional são gerados pelas qualidades de pulsação, vitalidade, energia, excitação e sentimento, pelo estado das células e órgãos. A chave para a compreensão do processo formativo é a natureza do *self*. Os desafios a esse processo podem vir do interior ou do exterior do organismo.

O *self* corporificado

A Criação se autoperpetua organizando formas animadas, seja uma única célula ou o organismo multicelular humano. A autoformação, ou seja, a organização de um *self* pessoal, reproduz a experiência da natureza. O *self* subjetivo pessoal desenvolve-se e chega à maturidade do mesmo modo que a forma física objetiva dada pela natureza. O *self* é um fluxo contínuo de respostas cognitivas e emocionais que buscam manter e organizar formas de expressão. Isso significa que a forma é mais do que uma simples expressão da função; na verdade, ela é uma função. Esse conceito é importante para a lógica da psicologia formativa.

O autoconhecimento requer mais do que introspecção; significa ser capaz de conectar eventos psicológicos com o processo biológico e corporificar essas experiências, dando-lhes forma somática e emocional e continuidade.

O livro *Anatomia emocional* introduziu a noção de morfologia cinética e líquida, relacionando-a com a imagem de um coração pulsante, um órgão que muda continuamente de forma, embora permaneça constante. Quanto maior for sua atividade interna, mais ele organiza formas que reflitam sua função. Em resposta a uma demanda, o coração aumenta de tamanho ou se encolhe; muda de forma. Este é um fato simples e fácil de observar. No passado, as pessoas eram guerreiros, caçadores, agricultores e trabalhadores braçais. Seu sistema cardiovascular, seu coração, produzia respostas intensas e imediatas. Hoje em dia, a economia e a sociedade requerem pessoas que sejam basicamente pensadores e agentes de interação social, com um uso moderado, contido e duradouro do coração. Ao mudar a forma do coração, a função do ser humano muda. Muda o modo como ele pensa e se sente em relação à sua própria capacidade de resposta. A mudança na forma do coração equivale a uma mudança em sua função; a mudança no modo de um ser humano sentir e pensar equivale a uma mudança na forma humana.

A psicologia formativa tenta compreender a forma de uma pessoa; como ela está organizada; como essa forma funciona; a que papéis dá origem; suas regras musculares — emocionais e nervosas; como a vitalidade e a vivacidade são mantidas; e o padrão de agressões que resultou na forma ou papéis observados. Associações psicológicas, sentimentos, interações e conexões musculares, todos fazem parte da estruturação de uma forma pessoal. Em termos somático-emocionais, a forma humana tem um significado tanto universal quanto pessoal. Toda pessoa é um mamífero ontológico e universal, assim como um ser particular, personalizado.

Um terapeuta somático-emocional pode fazer generalizações a respeito da forma de uma pessoa (*overbound**, rígida, deprimida). O significado específico de uma forma emerge apenas a partir da história e das experiências da pessoa. Todas as pessoas passam de embrião a feto, a bebê, a criança, a adolescente e a adulto; elas assumem todas essas formas. Não se tem escolha a esse respeito. Trata-se de um processo contínuo que se manifesta por si mesmo, e quando isso não é possível, a pessoa experiencia medo, terror, dor e ansiedade. Ao mesmo tempo, todo ser humano organiza também uma forma que reflete a natureza daquilo que a sociedade exige dele. Toda pessoa tem, no mínimo, duas formas. Se o que reflete sua experiência pessoal também estiver presente, possivelmente ele terá três formas. A forma é uma função

---

* Optamos por manter os termos no original por não existir equivalente em português. *Bound (aries)* quer dizer limites, fronteiras. *Over* e *under* se referem a excesso e falta, portanto, *overbound* significa com excesso de limites corporais.

do crescimento e da experiência de vida. A personalidade, portanto, é não apenas o modo como uma pessoa funciona, mas também a maneira como ela pretende funcionar.

Pode haver uma discrepância entre a capacidade de uma pessoa se experienciar e sua incapacidade para organizar comportamento. Essa discrepância resulta numa grande dor pessoal, porque ela pode não ser capaz de estabelecer uma ponte com seus padrões de motilidade geral. Há um hiato somático, emocional e psicológico entre a motilidade e a capacidade de organizar uma ação que a expresse. Por exemplo, é comum ouvir alguém dizer: "Claro que sinto amor, só que não consigo demonstrá-lo". Uma pessoa pode experienciar sua própria motilidade e vitalidade, mas não ter meios de traduzi-las em ação.

Desafios e agressões

Ao se formar, uma pessoa encontra desafios. Ela se organiza para responder aos desafios, mais ou menos como faz com a fome. O modelo do sistema imunológico ilustra como o organismo é um aprendiz. O organismo detecta um estranho, algo que não conhece, e imediatamente pede ajuda a seus recursos. Sua forma interna muda, em número e densidade, e ele aprende quem é esse estranho e como lidar com ele. No processo, o sistema imunológico se liquefaz e ingere o estranho, assimila seu código e então aprende a reconhecer quem ele é. Essa é uma analogia de como o ser humano se depara com desafios e se forma. O processo formativo se auto-estimula por intermédio dos desafios que encontra, interna ou externamente. Os desafios são, portanto, como alimento para o organismo, uma vez que produzem respostas do *self* antes inexistentes. Esse fato biológico, subjacente aos estados mentais, é a base de uma psicologia do ser. É um conceito central da psicologia formativa.

Os desafios podem se transformar em agressões. A integridade do processo de uma pessoa pode não ser capaz de se manter ou de responder. Os desafios podem se tornar uma falha de organização ou uma mudança de forma. Por exemplo, se logo no início da vida de uma pessoa seus pais não responderam tão prontamente quanto sua fome exigia, ela pode ter chorado mais alto. O padrão de choro tem vários estágios, dois dos quais são o choro por ajuda e o choro de raiva. Essa pessoa pode ter recebido uma resposta a seu choro por ajuda, mas não a seu choro de raiva. Assim, ela aprende como organizar o tipo de choro no qual vai se engajar. Se, entretanto, seus choros não receberam nenhuma resposta, eles podem ter se transformado numa queixa ou num choramingo de derrota. Essas duas respostas envolvem diferentes formatos ou formas expressivas: uma com o peito inflado, a outra com o peito esvaziado. Quando a forma é agredida, há organização e desorganização. A pessoa torna-se assertiva e espástica ou entra em colapso e congela. Qualquer uma dessas formas representa uma estrutura interna que dá origem à consciência e ao comportamento da pessoa, traduzida não em palavras mas em sentimentos e comportamento muscular.

Se um desafio excede a capacidade que uma pessoa tem para responder ou se há circunstâncias dolorosas ou intimidantes, ela muda sua forma natural. Inicialmente, a pessoa responde à agressão com um padrão hereditário. Tão logo surja um obstáculo, ela o investiga, distancia-se dele ou o ataca imediatamente. Esses comportamentos exploratórios mostram que o organismo é capaz de suspender operações enquanto organiza seu futuro. Há uma relação entre aquilo que o organismo está fazendo e o estado psicológico e emocional da pessoa. Por exemplo, alguém pode dizer que esperou até agora para crescer, enquanto outro dirá que preferiu hibernar até que o perigo passasse.

Agressão e constrangimento estão associados a vergonha e humilhação. A pessoa se encolhe e se torna menos do que ela é capaz de ser. A forma que ela assume naturalmente já não funciona mais. Por exemplo, para ser submissa, uma criança se diminui e se torna menor. Uma agressão faz com que ela se encolha em relação à sua forma natural. Esse padrão pode se cristalizar e resultar em uma forma encolhida.

O terapeuta somático tem de encontrar meios de desorganizar a estrutura. Isso envolve mais do que simplesmente liberar as tensões musculares. Embora essa liberação possa ajudar, ela vai falhar se todo o padrão de encolhimento do paciente não for desorganizado. Uma coisa é o paciente falar que foi humilhado, e outra é chorar ou ficar zangado e produzir as associações que acompanham tais sentimentos, na esperança de liberar esse padrão de humilhação. Freqüentemente, isso não acontece. O paciente tem de aprender a desorganizar e reorganizar seu padrão muscular emocional. O terapeuta somático pode desorganizar temporariamente um bloqueio emocional e o paciente se sentir melhor ou sentir o impulso de se comportar de um modo diferente, mas sem saber como formar o comportamento correspondente. Essa falta de *know-how* orgânico pode se transformar em uma agressão secundária. O paciente acaba concluindo que é melhor se encolher, já que isso, pelo menos, é conhecido. Na medida em que não consegue sustentar o novo comportamento, ele evita a dor de ser liberado e volta ao encolhimento.

Os quatro tipos de agressão

O distresse pessoal e a agressão somática afetam o *self* subjetivo em desenvolvimento. O esforço da natureza para organizar um corpo natural tem um paralelo no desenvolvimento de uma forma subjetiva pessoal. O *self* somático subjetivo começa por uma imagem interna, um molde universal presente no código genético, que organiza a forma humana. O modo específico como o soma de um indivíduo é moldado dá origem a um senso subjetivo pessoal de *self* e ao desenvolvimento de sua independência. Para alguns pais, o desenvolvimento dessa forma subjetiva independente pode ser ameaçador, e eles respondem com agressões, críticas, humilhação e até mesmo com violência física. Essas respostas agridem a forma pessoal, deformam-na e impedem ou sufocam seu desenvolvimento.

À medida que um desafio se torna mais sério, a pessoa responde de uma determinada maneira, que ela escolhe entre várias outras possíveis. As respostas a irritações, danos e agressões seguem geralmente os quatro estágios de um processo inflamatório: dor, vermelhidão, calor e inchaço. As agressões provocam uma mudança na relação dos tecidos. A vermelhidão indica uma elevação do nível de organização: o calor, um aumento de atividade; o inchaço, uma tentativa de neutralizar o evento; e a dor, um sinal para recuar. No caso de um desafio sério, para o qual nenhuma resposta é adequada, há uma regressão para uma posição de sobrevivência num nível vegetativo.

Os quatro estados de agressão podem ser chamados de choque, trauma, abuso e negligência. O choque congela a forma ou cria uma forma consistente com o modo como a pessoa interpreta sua existência naquele momento. Ela pode desmaiar, ficar fria, fazer o sangue refluir de seus membros, perder a consciência, baixar o nível vital para preservar o equilíbrio do plasma, e assim por diante. O trauma significa um esgarçamento, uma ruptura, uma mutilação, um dano imediato ao tecido e o início da dor. O abuso significa irritação, inflamação a longo prazo, cansaço, exaustão. A negligência é atrofia, desuso, falta de empatia, ausência de relacionamento humano e indiferença às próprias necessidades físicas ou emocionais.

Cada uma dessas respostas requer uma mudança na forma, para congelar, ativar, aumentar a atividade ou contê-la. Congelamento, enrijecimento, adensamento inchaço, — então é o que ocorre. O congelamento resulta numa forma espástica; o aumento de atividade, em uma forma mais espessa; um aumento ainda maior de atividade gera calor e inchaço e, em última instância, contenção ou colapso. Essa é a gênese das estruturas rígida, densa, inchada e em colapso, descritas em *Anatomia emocional*. Congelar a forma, aumentar a atividade; mutilar-se, fazer-se menor, encolher, ficar deprimido; tornar-se apático, inchar, ficar sem limites, deixar vazar — essas são as respostas possíveis a uma agressão, e cada uma delas implica uma mudança de forma.

Um exemplo clínico de como a agressão afeta a forma é o de um paciente que resolve conflitos através de acessos de fúria. Esse padrão teve início na infância. Suas exigências eram inicialmente atendidas com uma resposta adequada, mas depois essa resposta foi retirada. Esse paciente é carente de forma e da capacidade de conter impulsos. Isso leva a um aumento de atividade, sob a forma de raiva e acessos de fúria. São tentativas de obter uma resposta, e como resultado, sua forma se rompe. Suas tentativas de obter a resposta adequada fracassaram no passado. O paciente obteve uma resposta, mas não a que ele queria. Ele pode receber atenção ou os outros podem capitular, mas o que ele quer é uma resposta que o torne capaz de desenvolver o nível seguinte de maturação. E isso é exatamente o que ele não obtém. A seguir, passa a sentir medo e se torna incapaz de mudar a resposta de acessos de fúria, porque não sabe como desorganizá-la ou organizá-la de um novo modo. Uma vez que ele se dê conta de sua inadequação, começa o verdadeiro projeto: organizar um comportamento que atenda melhor às suas necessidades.

16

O *continuum* de susto

Aprender a lidar com obstáculos, faz parte do crescimento. Obstáculos não perigosos podem machucar, mas não envolvem choque. Por exemplo, às vezes uma criança cai, machuca-se e fica assustada. Ela responde congelando-se, mas sua motilidade permanece. Sua forma muda, mas em seguida volta ao que era antes. Mas imagine-se uma agressão que não desaparece, como no caso de uma criança que apanha repetidamente. Nessa situação, a criança vai congelar, enrijecer, aumentar sua pressão interna e esperar que a agressão desapareça.

As mudanças que uma agressão produz na forma de uma pessoa podem ser compreendidas através da fórmula: intensidade x duração x repetição. Qual é a intensidade do evento? Quanto tempo ele dura? Com que freqüência se repete? Essas perguntas indicam a resposta. Uma confrontação direta, aos berros e pela força, de uma criança pequena por um adulto pode durar apenas dois segundos, mas fará a criança congelar. Uma outra vai adensar-se e encolher-se contra o abuso de sermões, queixas e críticas persistentes. Uma negligência violenta provoca congelamento, enquanto uma negligência a mais longo prazo provoca desamparo, desespero, apatia, perda de direção e uma forma diminuída.

As respostas a uma agressão envolvem tanto um aumento como uma diminuição de atividade, levando a formas *overbound* ou *underbound*.* Há quatro formas relacionadas à intensidade e duração de uma agressão. Formas *overbound* são tentativas de manter atitudes agressivas diante da agressão, quer diretamente, quer apenas na superfície. "Não vou ceder". As formas *underbound* representam uma submissão à agressão e são tentativas de acalmar o agressor, cedendo. A Figura 1 mostra o *continuum* de respostas de susto.

Após o nascimento e durante os primeiros anos de vida, os padrões de agressão se organizam primeiro na parte superior do corpo. Agarrar, segurar, chorar, estender os braços são respostas que envolvem a parte superior do corpo. Os padrões de ansieda de também começam aí. Nessa fase de desenvolvimento, o organismo se empenha mais com os braços, a boca e a cabeça do que com a barriga, os genitais e as pernas, que aparecem mais tarde. Qualquer agressão, independentemente de qual seja ou de quan-

---

* Ver nota à página 12.

do apareça, resulta na retirada do *grounding** da pessoa, isto é, ela puxa suas vísceras para dentro e para cima, superexcita seu cérebro e escapa para imagens e/ou para um estado de superprontidão. Na estrutura humana, qualquer coisa que assuste uma pessoa também a organiza para cima e a retira do chão. A implicação terapêutica disso é que muitas pessoas têm de ser ensinadas a manter seu chão (*ground*), abaixando seu centro de gravidade diante da ansiedade.

O estado de choque (Figura 1) começa com um aumento de intensidade e evolui da incredulidade para a anestesia e, eventualmente, para a dissociação. O trauma invoca raiva, medo e dor; termina na projeção e na mania, que abrange uma infinidade de eventos que vão da hiperatividade à histeria. Com o abuso, vem a humilhação, o entorpecimento, a submissão, a negação e o início do recuo. Finalmente, com a negligência e o abandono vêm a perda de limites, a depressão e a apatia. A primeira parte desse quadro mostra as respostas do tipo *overbound* e a segunda parte, as respostas do tipo *underbound*. Intensidade x duração x repetição determina o grau da agressão. O quadro mostra como o organismo mobiliza suas respostas do melhor modo possível para manter a forma que ele reconhece como sua.

Recentemente, um homem me procurou para lidar com suas reações a uma cirurgia cardíaca. Ele admitia o ataque cardíaco e a cirurgia, mas não conseguia aceitar que algo em seu estilo de vida pudesse ter contribuído para sua doença. Durante o Holocausto, esse homem havia sofrido graves agressões e então encarava sua necessidade de ajuda como uma solução mecânica para seus sentimentos de fraqueza. Sugeri a ele que esses sentimentos eram sua pior ameaça. Ele não ousava aceitar que se sentia fraco depois da operação. Ele havia se estabilizado pelo adensamento e pela compactação. Temendo a derrota ou o colapso, não podia se permitir desorganizar sua rigidez.

---

* *Grounding* é um conceito criado por A. Lowen, que diz respeito a estar enraizado na realidade física e emocional a partir da mobilização do contato de pés e pernas com o chão (*ground*).

FIGURA 1 — O *continuum* de agressão

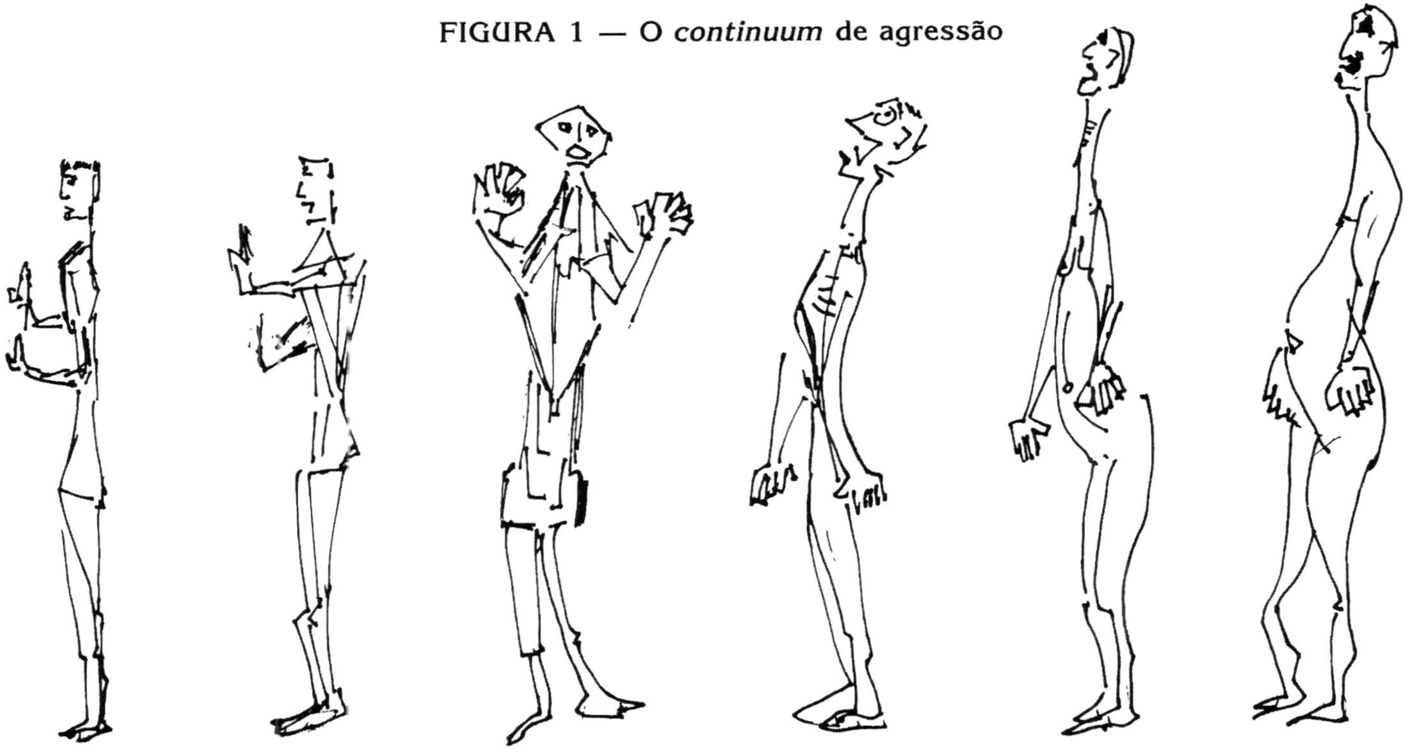

| Atenção | Medo, ataque | Desvio | Desamparo, submissão | Desesperança, apatia | Colapso |

Diferenças entre as posturas de susto

Uma criança experiencia o abuso e o abandono de modos diferentes. Ela não registra necessariamente como abuso coisas como fraldas não trocadas, uma espera prolongada, horas de refeição irregulares ou desatentas, ou o fato de ser cuidada freqüentemente por estranhos. Mas quando para ela não existe ninguém, essa pequena pessoa sabe que foi abandonada. O abuso é um fator irritante de nível mais baixo: a criança não sabe que está sendo gradualmente diminuída. Ela desenvolve uma personalidade social submarginal. É alguém que, ao mesmo tempo, está e não está presente.

Quando o abandono e a verdadeira negligência ocorrem prematuramente, o resultado é o desespero, a depressão e, ocasionalmente, a morte. A colocação da criança desde cedo em uma instituição também pode resultar em problemas sérios, dentre os quais a resignação e a ausência do sentimento de pertinência. Para uma criança muito pequena, o abandono, a ansiedade e o terror caminham de mãos dadas e podem resultar em autismo. Quando ela é um pouco mais velha, o abuso e a humilhação fazem com que ela se encolha e se torne indiferente a si mesma e aos outros. A ansiedade é experienciada como entorpecimento. Se ela tenta fazer contato, não sabe como agir. Sente-se socialmente desajeitada.

O choque é uma agressão de alta intensidade, que ocorre num curto espaço de tempo. Por exemplo, alguém telefona e o informa que um amigo íntimo morreu ou uma pessoa morre acidentalmente na sua frente. Quando você está em choque, não se sente ansioso nem com medo: você simplesmente não sente nada. Há só incredulidade, incompreensão e entorpecimento.

O trauma é uma agressão de alta intensidade, mas que ocorre num intervalo de tempo maior ou menor. Por exemplo, uma pessoa pode sofrer um acidente e sua primeira reação ser de choque e não de dor. Entretanto, à medida que o choque diminui, a dor é experienciada. O trauma envolve alta intensidade e, possivelmente, curta duração, enquanto o abuso e a humilhação envolvem situações de longa duração, mas de intensidade moderada. A negligência pode ter pequena intensidade, como acontece, por exemplo, quando uma criança é ignorada por um longo período de tempo.

O abuso é uma agressão decorrente de interação persistente com uma intenção de dano, como a de um pai que critica constantemente a criança ou tenta sistematicamente minar seu modo de se comportar. Um dos pais quer que a criança arrume seu quarto; toda vez que a criança faz uma colocação assertiva, ela é chamada de "idiota" e punida. O abuso não tem necessariamente de ser físico. Pode ser também o fato de a criança nunca saber se vai apanhar ou não. O abuso faz a criança se encolher e gera uma baixa auto-estima. Esse tipo de agressão é diferente daquele em que, excepcionalmente, a criança quebra um objeto caro aos pais e tem de agüentar um sermão.

A diferença entre choque e trauma é a mesma que existe entre dar um tapa no traseiro de uma criança e um soco em sua boca, ou entre gritar de vez em quando com a criança e espancá-la diariamente. A diferença entre trauma e abuso é a mesma que existe entre dar um tapa no rosto de uma criança e deixar de alimentá-la regularmente; ou entre espetar a criança acidentalmente com o alfinete da fralda e deixar de trocá-la até que sua pele fique irritada. O trauma envolve dano e dor, enquanto o abuso envolve humilhação. A negligência envolve abandono físico ou emocional, um estado no qual os pais ignoram ou isolam a criança.

A forma de uma pessoa é uma combinação de dados genéticos com o tipo de agressões que ela experienciou. Um bebê deitado em seu berço, se agredido, baterá a cabeça contra o travesseiro e gritará. Depois de passar por todas essas convulsões, ele pode acabar em coma e se tornar apático e resignado. Se, entretanto, o choque for enorme, ele pode congelar na posição em que está. Ele correrá perigo de vida, a menos que alguém o mantenha aquecido, movimente suas pernas etc. Há também choques moderados, nos quais a pessoa fica entorpecida e incrédula. Ela não sabe o que aconteceu, mas diz, apesar disso: "Estou bem". À medida que a incredulidade desaparece, ela será tomada por pesar, raiva ou lágrimas. Em algum momento, ela entra no trauma e se dá conta do que de fato está acontecendo.

O choque, o trauma e a resposta de enrijecimento ocorrem intra-espinhalmente, isto é, nos fluidos e nas passagens craniana e espinhal. Eles afetam os músculos intra-espinhais que regulam a cabeça, o pescoço, os membros, a postura ereta e os movimentos rotativos de evitação e compressão. Esses eventos acontecem rápida e ciclicamente e não são facilmente perceptíveis, mas ao longo do tempo aparece uma forma comportamental, junto com os sentimentos correspondentes.

Respostas à agressão

Há dois tipos de respostas gerais a uma agressão: a *overbound* e a *underbound*. Em uma resposta do tipo *overbound*, as membranas da estrutura ficam mais espessas ou duras, de tal modo que o ambiente não pode ser penetrado, nem de fora para dentro nem de dentro para fora. A membrana funciona como um escudo para evitar que alguma coisa entre ou saia. Estruturas do tipo *underbound* envolvem membranas que se tornam excessivamente permeáveis; há uma porosidade, através da qual o mundo invade a pessoa ou ela "vaza" para o mundo. Se isso ocorre de um modo relativamente suave, a condição *underbound* é fraca e a pessoa ainda tem um pouco de estrutura para manter o mundo fora ou dentro de si mesma. Mas se a agressão tem longa duração e as membranas celulares se rompem, então dificilmente haverá qualquer filtro entre a pessoa e o mundo. Nesses casos, há uma pobre formação de limites.

Uma resposta experienciada em um determinado momento se internaliza como um verdadeiro estado celular. Essas respostas envolvem mudanças na forma, assim como no estado básico de sensações do organismo, independentemente de quais sejam as imagens introjetadas. O cérebro registra o estado no qual a pessoa se encontra e cria uma imagem dele.

As imagens podem se contradizer; por exemplo, a imagem social de um indivíduo pode conflitar com seu estado internalizado real. Uma pessoa pode obter boas notas na escola e considerar-se inteligente. Apesar disso, esses eventos externos na verdade têm pouco a ver com o estado interno da pessoa. Por exemplo, uma de minhas pacientes é uma mulher bem-informada, inteligente, arquiteta e mãe. Embora tenha resolvido trocar de área e obtido um Ph.D. em psicologia clínica, ela ainda sofre de sentimentos inexoráveis de amor-próprio diminuído, ansiedade e incompetência. Sua forma é rígida e quebradiça e o peito, encovado. Quando tinha nove anos, ela foi mandada para um internato, onde se sentia solitária, tímida, retraída e incapaz de organizar uma vida social que lhe permitisse obter o contato de que precisava. Ela se tornou psicóloga clínica com o fim de fazer contato e ser desejada. É um exemplo acabado de pessoa que nunca superou as conseqüências da agressão de abandono.

No processo de se tornar adulta, a pessoa encontra demônios ao longo da estrada, responde com vigor e asserção, mol-

22

dando uma forma. Para poder compreender uma pessoa, é importante saber como a agressão aconteceu, em que idade, assim como sua intensidade e duração e a freqüência com que se repetiu. As agressões que uma pessoa sofre trancam sua forma na imaturidade ou na superdeterminação.

As agressões resultam em quatro respostas básicas: a estrutura torna-se rígida, densa, inchada ou em colapso. A primeira resposta a uma agressão é enrijecer, mobilizar a rigidez diante de algo desconhecido. Se os riscos são ligeiramente maiores, o organismo se enrijece até se tornar espástico. Enrijecer é recuar, retesar a estrutura, preparando-a para a ação; a espasticidade é um enrijecimento ou fechamento, em preparação para receber um golpe. A espasticidade é como puxar uma corda esticada, enquanto a rigidez retesa o organismo e torna-o mais espesso. A diferença está na relação entre o aumento de tônus, hipertrofia e espasticidade — três níveis diferentes de um mesmo fenômeno. Se um choque é muito grande, a pessoa torna-se espástica. Se há pouca estrutura por baixo, o organismo pode colapsar. Mas, se o choque ocorre aos quarenta ou cinqüenta anos, quando já se tem experiência, o organismo provavelmente não vai se desintegrar.

A relação entre choque, trauma, abuso e negligência e as diferentes formas que os refletem não são questões isoladas, mas existem como partes de um *continuum*. Uma agressão pode oscilar entre o abuso e a negligência ou entre o trauma e o abuso. Por exemplo, durante o crescimento, os pais de uma criança podem ser ausentes ou indiferentes, mas estar mais presentes durante a adolescência. Alguns pais não gostam de seus filhos até que eles consigam se tornar auto-regulados. Assim, o terapeuta pode encontrar uma camada de empatia por cima de uma camada de ausência de limites. O paciente é gentil com os outros, mas incapaz de distinguir entre os outros e ele mesmo. Estou descrevendo a dissociação, a cisão, a negação, a projeção e a depressão como estados somático-emocionais, e não como meros estados mentais. Eles são estados celulares com implicações psicológicas.

Há diferenças entre enrijecer e afastar, encolher e não deixar nada sair, inchar e colapsar. São as possíveis respostas a uma agressão — puxar para cima, para trás, para dentro e para baixo. Os problemas começam só quando essas coisas são levadas a um extremo. O estado a que uma pessoa chega está relacionado à força, à duração e à freqüência da agressão.

Uma pessoa é programada para levar adiante um dado genético, um corpo de um certo tamanho e peso. Mesmo quando surgem obstáculos em seu caminho, ela se move nessa direção. A pessoa pode ter um tamanho corporal adequado, mas não os atributos correspondentes. Pode externamente se parecer com um adulto, mas não ter as sensações internas correspondentes. À medida que reconhece essas discrepâncias, pode assumir uma forma compensatória para parecer adulta. Para se mostrar autoconfiante diante de seu chefe, ela pode se enrijecer em relação à sua deficiência interna. A ausência de limites ou imaturidade pode ser também uma defesa, além de um estado. Uma pessoa age de modo infantil para ocultar suas intenções ou para evitar as conseqüências. A forma sempre tem uma função social e pessoal. Quando agredida ou intimidada por alguém, a pessoa responde com uma forma para agradar, resistir, enfrentar ou se submeter.

De uma perspectiva de desenvolvimento, as estruturas rígida, densa, inchada e em colapso envolvem a relação do todo com as partes. Isso significa que, na criança, a porção superior do organismo é mais desenvolvida do que a inferior. À medida que a criança cresce, a parte inferior se desenvolve. Todas as formas de agressão podem ser relacionadas com uma linha divisória imaginária que vai do nascimento aos oito anos de idade e dos oito anos em diante. Essa linha divisória tem por base o fato de a ênfase estrutural estar situada na metade de cima do corpo ou na metade de baixo. Do ponto de vista de desenvolvimento, a questão é saber em que momento a pessoa investe na metade de cima do corpo ou na de baixo. O crescimento e o desenvolvimento dos primeiros anos podem ser vistos na metade superior do organismo e, depois desse período, o investimento é feito na metade inferior. Os padrões de resposta têm a ver com receber e responder, com ir em direção ao mundo e voltar com a conexão pulsatória entre a metade superior do corpo e outra pessoa. Após os oito anos, a pessoa está mais interessada em manter uma conexão pulsatória consigo mesma, e não necessariamente com o outro. Esta é a base da autonomia e da auto-regulagem.

O conceito formativo

A base da experiência humana é a organização de formas herdadas e de formas que expressam experiências pessoais. As ques-

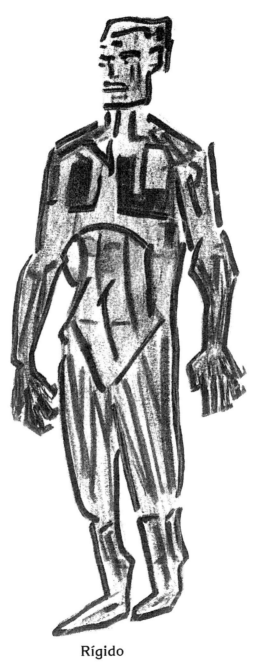

Rígido

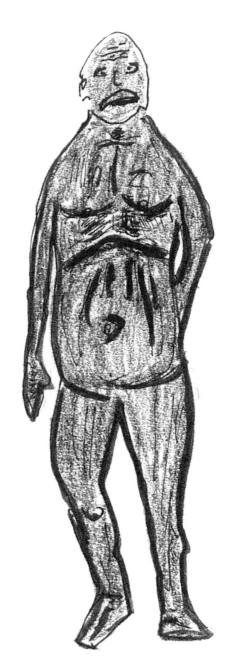

Denso

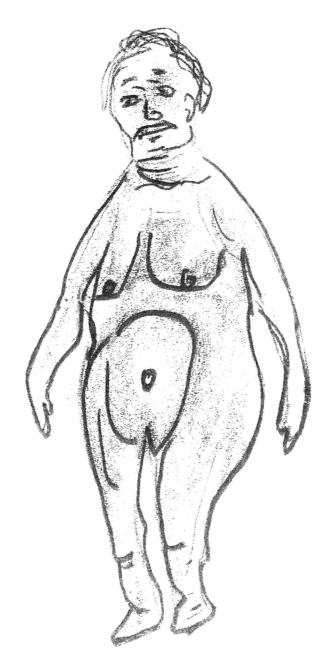

Inchado

Colapsado

tões clínicas são: quais os princípios do processo de formação dessa pessoa? O que ela está tentando formar? Esse processo representa o fundamento, a forma que a pessoa é capaz de organizar e com a qual é capaz de funcionar. A criança está tentando chegar à idade adulta. O que significa ser criança? Significa ter a forma e o aspecto de uma criança, segundo o modo como ela lida com suas respostas, aprendendo a moldar suas relações com o presente, em seu caminho para o futuro. Da mesma forma, um adulto está a caminho da maturidade, da cristalização de seus talentos e individualidade. Cada novo impulso de crescimento é vivenciado como possuindo características juvenis. Se um adulto rejeita suas experiências anteriores de formação, pode rejeitar outras coisas que são novas.

O conceito formativo implica que as formas *overbound* e *underbound* sejam afirmações de uma história pessoal, mas podem não ser uma afirmação do futuro. Quando um paciente se apresenta a um terapeuta somático como uma forma *overbound*, isso não significa que ele será assim para sempre. O princípio formativo introduz um conceito revolucionário, que tem a ver com o modo como a pessoa se organiza ou se forma ao longo de sua vida.

Usando a analogia de um tubo flexível, as estruturas *overbound* e *underbound* podem ser pensadass como rígidas ou espásticas, densas, inchadas e em colapso. A perda de forma e o estreitamento ou espessamento dos limites dão pistas ao terapeuta sobre a natureza do paciente. A Figura 1 mostra que o choque percorre claramente todo o organismo. Um paciente pode estar chocado até a morte ou congelado, de tal modo que os líquidos de seu corpo não se movimentam mais. Retirando-se para seu centro, o paciente mantém-se vivo no sentido vegetativo, mas pode nunca mais se recuperar. Alternativamente, o choque e o trauma podem afetar segmentos do organismo. Uma parte dele pode estar densa e espessa, enquanto outra está inchada.

Em termos gerais, pacientes do tipo *overbound* tentam manter aparência de independência; pacientes inchados mantêm uma fachada de independência mas procuram ser carregados nas costas por alguém. A pessoa fraca e em colapso tem a forma da dependência e busca uma resposta dependente. Ela entra no consultório de um terapeuta buscando ajuda, e a primeira resposta do terapeuta é: "Estou aqui para ajudá-la". Isso é a repetição da experiência do paciente durante seu crescimento. Sua estrutura deveria ser entendida como um pedido de forma e não de dependência.

As condições *overbound* e *underbound* não são apenas estados organísmicos, mas de existência pessoal. Quando um terapeuta lida com espasticidade, fragilidade, choque ou abuso, tem de se perguntar qual é a profundidade desses estados, o que está envolvido neles, o que uma camada apresenta quando comparada com outra, qual é o quadro geral e específico do paciente, quanto de forma adulta ou infantil está presente. Trata-se de uma pessoa espástica, ou sua espasticidade é apenas uma forma superficial que protege uma camada visceral amorfa mais interna?

Uma das indicações de imaturidade somática é a rapidez com que o paciente é capaz de mudar de forma. A criança é plástica, pode mudar de forma instantaneamente, é relativamente incontida, prestes a tornar-se alguém com limites. Quando um adulto apresenta essa capacidade, o terapeuta tem de reconhecer que o paciente não organizou muita estrutura. Isso não quer dizer que não possa mudar de forma em um período relativamente curto de tempo, mas sua capacidade de fazê-lo e o tempo que consome nisso tem relação com o grau e a estratificação da sua condição *overbound* ou *underbound*.

A maturidade envolve a capacidade de formar uma estrutura que represente a própria experiência e a capacidade de conviver com ela, sem tornar-se sua vítima. Por exemplo, pode ser necessário para uma pessoa *overbound* não ceder terreno em uma situação específica; entretanto, quando essa situação termina, ela dever ser capaz de relaxar. Isso é um sinal de maturidade. A quantidade de mudança e o intervalo de tempo em que ela ocorre indicam a natureza da falta de forma de um paciente.

É a capacidade de mudar de forma que é significativa. Em uma criança, os reflexos e as respostas involuntárias produzem mudanças na forma. Isso também é verdadeiro num adulto. Mas um adulto pode participar da mudança em sua forma. Por exemplo, uma pessoa pode se sentir ofendida, mas preferir não demonstrar raiva, nem lutar ou ferir os sentimentos do outro. Portanto, ela assume toda a sua organização de estar com raiva e a modifica intencionalmente. Essa é a diferença entre uma pessoa impulsiva e outra que é capaz de lidar consigo mesma. A forma que uma pessoa tem e o modo como organiza uma forma para si mesma são indicações sobre se ela é um adulto ou uma criança.

A essência do esforço formativo é a capacidade de autoadministração. Nas sociedades primitivas, estar em harmonia com a natureza e viver segundo as regras naturais são as metas principais. Em nosso mundo, falamos de "fluir". Para mim, capacidade formativa e auto-administração significam o uso das próprias experiências para formar um *self* interior que dê conta de uma infinidade de necessidades — de alimentar e encontrar um abrigo seguro para o próprio *self* e de levar adiante interações sociais de um determinado tipo que resultem em uma forma subjetiva, pessoal. Dá um certo trabalho estruturar um *self* interior — ele não acontece por acaso. De nada adianta a um paciente perpetuar sua filosofia de "deixar acontecer". Nada ocorre por acaso; o paciente tem de usar a si mesmo para organizar seu comportamento. No caso de uma criança, chamamos isso de praticar.

Padrões de agressão: resumo

Ao se formar, o paciente se depara com um obstáculo. Ele se mobiliza para lidar com ele. Sua primeira resposta é desafiá-lo, resistir, fugir, colidir com ele ou contorná-lo. Sua segunda resposta é mantê-lo à distância ou não ceder terreno, de tal modo que atinge um outro nível de rigidez. Uma vez sentindo que a ameaça se aproxima e ele nada pode fazer, tenta um apaziguamento, funde-se com o agressor e mostra que ele não é uma ameaça. Finalmente, ele se descompromete, abre mão de sua forma e entra em colapso.

O choque leva a uma forma congelada, espástica. O resultado da agressão é um excesso de limites (a condição *overbound*). O trauma evoca inicialmente uma hiperatividade, então emergem gradualmente a desintegração e a escassez de limites (a condição *underbound*). O abuso interrompe o desenvolvimento da forma; ele a mantém subestruturada e instável. A negligência impede que a pessoa venha a ser formar. A agressão, portanto, organiza as formas, quer através de um excesso ou de uma carência de forma.

As condições *overbound* e *underbound* são relativas. Essas estruturas são respostas a um evento ou a uma condição. Uma pessoa jovem é relativamente sem limites no seu processo de incremento de organização e complexidade, superando a falta de forma da juventude. A solidificação da forma ocorre entre a escassez e o excesso de limites, num ponto intermediário em que uma combinação dessas duas condições expressa o organismo e forma uma imagem do seu interior.

As agressões referem-se a quebras estruturais, obstáculos que produzem discrepâncias organizacionais. As estruturas *overbound* e *underbound* não são absolutas, mas se relacionam com situações específicas. Um terapeuta não tem como afirmar que a natureza quis que o paciente fosse *underbound*, a menos que a natureza tenha cometido um engano. Ao contrário, algo aconteceu que interrompeu o processo formativo do paciente. A questão é saber como o paciene vai restabelecer seus limites. Ao falar sobre agressões em termos dicotômicos, não estou me referindo à relação entre um pólo e outro, mas a um processo que incorpora ambos os pólos — uma situação relativa.

Algumas respostas à agressão são mais funcionais do que outras. As fases menos funcionais estão no centro da Figura 1. O choque pode ser moderado ou grave, mas sempre imobiliza o indivíduo. A pessoa é menos funcional nesse ponto. O trauma, em seu início, exige ação, mas, em seguida, imobiliza a pessoa. O abuso é mais funcional do que o abandono. Numa idade prematura, o abandono e a negligência produzem choque; numa idade posterior, eles são apenas moderadamente disfuncionais. O abuso aleija a pessoa e a limita a um funcionamento de nível baixo.

Sydney: a criança esmagada

Sydney é um homem com formato de colher: côncavo na frente e com um corpo parecido com uma haste encurvada. Sua cabeça fica à frente do corpo. Ele é puxado para dentro, compactado e colapsado. Sydney é cognitivamente agressivo, embora experimente episódios de explosões vulcânicas. Ele busca amor, embora sua ambição exija que obtenha sucesso e vença. Embora seja bastante bem-sucedido na vida, sente-se incompetente.

O formato de Sydney resultou de um padrão de agressões longas e repetidas que afetaram sua auto-estima. Embora tenha sido amado como criança e adolescente, foi também submetido a exigências para ser mais do que era. Esperava-se que ele vivesse segundo os padrões de outras pessoas. Diante dessa violência, ele se compactou, retraiu-se e entrou em colapso interno. Para encobrir sua fraqueza, ele construiu uma forma exterior de agressão e luta. Sydney é uma pessoa pequena tentando ser grande, derrotado mas resistindo ao colapso.

Sydney escreve seu histórico:
Meus pais tentaram moldar meu crescimento e minha personalidade usando a culpa. Não é que tenham feito isso intencionalmente, mas estabeleciam metas que eu não conseguia atingir, e, quando conseguia, deixavam claro que eu tinha ficado aquém de suas expectativas. Esse padrão surgiu desde quando me lembro de mim e durou até os dezoito anos, quando cortei relações com meus pais por um ano, para conquistar minha própria independência. A sensação de culpa me confunde. Por um lado, parece-me que essa culpa foi importante e constante; por outro, talvez ela tenha sido leve e moderada, mas não para a criança frágil que eu era.

A principal atitude que tomei foi a dissociação, mas minhas atitudes secundárias incluíam a luta, o desamparo, a descrença, a loucura maníaca e a desorientação. Quando pequeno, sentia-me descrente, achava que meus verdadeiros pais estavam trancafiados no porão, enquanto aqueles que eu conhecia eram ladrões maus que me haviam roubado de meus pais benevolentes, verdadeiros. Por volta dos sete ou oito anos, essa fantasia desapareceu e eu aceitei minha realidade. Aqueles eram meus pais e aquela tinha de ser a minha vida.

Percebo agora que a razão de suas críticas constantes era o fato de que eu não era o garoto de quem meus pais precisavam. Em relação à minha mãe, desenvolvi uma sensação de insegurança, porque ela expressava que minhas necessidades eram más. Essa situação constante de ser amado e ao mesmo tempo rejeitado e criticado me deixava confuso. Meus pais se tornaram uma fonte de dor, irritação e aborrecimentos. Eu me sentia culpado e zangado, pequeno e desesperançado.

Conseqüentemente, agora que sou adulto, ligo o piloto automático e me transformo num realizador, num lutador. Eu me mantenho tão ocupado sendo um lutador que me inclino a ficar fora de contato comigo mesmo e com os outros, e esse padrão tende a se perpetuar. Quanto mais me trabalho somaticamente, mais me sinto capaz de restabelecer contato comigo e de seguir meu próprio ritmo. Minha luta constante para evitar desapontar o mundo tem diminuído. Essa luta é difusa e requer uma vigilância constante, além de uma grande dose de amor e de ajuda externa para ser superada. Ela é uma tentativa de evitar que minha forma se quebre. É um conflito entre a submissão e a agressão, entre o colapso e o ataque. É uma experiência incrível e maravilhosa quando meu *self* interior supera a atitude condicionada por meus pais.

Sydney
Derrota do lado de fora, desafio do lado de dentro

A forma de Sydney indica uma estrutura rígida/fraca, um padrão de agressão baseado em críticas constantes dos pais, desencorajamento e intimidação. O resultado é humilhação.

Sydney é colapsado, seu peito é puxado para dentro, o diafragma é achatado e rebaixado, o abdome tem um tônus fraco, o esôfago e a traquéia são alongados e contraídos.

A qualquer momento, se não consigo dominar a atitude de "lutar para não desapontar", ela começa a me dominar. O que me deixa pasmo é como minha vida se torna maravilhosamente real, cheia de contato e satisfatória quando supero essa atitude e o que há de bom em mim surge. Ao contrário do que quero acreditar no dia-a-dia, minha eficiência aumenta quando dedico algum tempo para trabalhar comigo mesmo. Infelizmente, entretanto, isso requer uma estrutura que normalmente não crio.

Não me lembro de um tempo em que essa atitude ainda não existia, embora eu só tenha descoberto mais tarde em minha vida a criança faminta de amor que havia dentro de mim. Antes, minha auto-imagem era a de alguém que se escondia, não queria ser notado e nem que os outros percebessem o quanto eu era carente. Quando pratico exercícios somáticos, minha experiência subjetiva é de que meu corpo foi atacado de todos os lados. Sinto que vou me retraindo, me escondendo e ao mesmo tempo me dissocio, na tentativa de não perder a luta. Sinto isso como uma contração imediata e intensa em todo o abdome. Quando consigo desorganizar essa postura, experimento um movimento suave de expansão e uma sensação correspondente de relaxamento. Tenho também duas imagens internas de mim mesmo: um eu subdesenvolvido e encolhido, com sentimentos de inferioridade, com o qual convivo todo o tempo, e em ocasiões cada vez mais freqüentes um eu preenchido, com um corpo maior, que se sente mais generoso e masculino.

O exercício de sanfona, de aumentar e diminuir essas sensações, é o mais útil para mim. Ele me dá um ponto de partida, que é fácil de lembrar. Sou capaz de controlar o pânico emocional, físico e intelectual que experimento quando me sinto inadequado para executar uma tarefa. Durante a pausa, vivencio um estado intermediário entre o alívio e a resignação, entre a humildade e o colapso, entre o relaxamento e a auto-aceitação. Sinto isso com clareza quando trabalho com meu terapeuta ou durante um *workshop* com ele. Quando estou sozinho, muitas vezes sinto que meu processo é confuso. Acho que preciso da resposta de uma outra pessoa para contrabalançar a mensagem não-verbal de meu pai, para ser capaz de fazer isso sozinho.

Comentário clínico: Em meu trabalho com Sydney, fiz com que ele organizasse seu padrão de encolhimento no peito e ombros e repetisse isso várias vezes, para mobilizar os sentimentos de críticas e abuso. À medida que ele conseguiu desorganizar sua estrutura, pude ajudá-lo a integrar as pulsações ternas em seu peito e os sentimentos de anseio, rejeição e medo. À medida que Sydney desorganizava seu encolhimento, sentimentos auto-afirmativos surgiram em seu tórax, e uma nova auto-estima aparecia. O passo seguinte foi desenvolver práticas específicas para Sydney se engajar no trabalho e em seu casamento, para dar solidez a seu novo formato. Trabalhar para se estruturar na presença de outras pessoas foi um ponto central para o tipo de agressão que Sydney havia sofrido.

Sharon: um encontro com a mortalidade

Sharon é uma mulher forte, cuja postura indica auto-afirmação e posse de território. Ela também consegue ser rígida, obstinada e dona da verdade. Sua aparência é como a de um militar — peito para cima, barriga para dentro, pescoço duro, em estado de alerta.

Recentemente, Sharon passou por um acidente que afetou seu *self* social e pessoal. Os danos que sofreu exageraram seu padrão já existente, puxado para cima, e a alienaram ainda mais de seu *self* instintivo. Sua forma adulta e sua identidade sofreram interferências no momeno em que ela se defrontou com a própria mortalidade.

Sharon descreve assim seu acidente:
Um dia, há mais ou menos três anos, eu voltava para casa depois de um jantar com amigos. Estacionei o carro diante de minha casa, desci e, enquanto trancava a porta, vi um carro vindo em alta velocidade em minha direção. Sem qualquer aviso, o carro bateu em mim e me jogou contra o pára-brisa e, em seguida, ao chão. Naquele momento, a situação adquiriu um efeito de sonho, fora do tempo e em câmera lenta — tudo acontecia numa velocidade incrivelmente lenta. Fiquei entorpecida, mas estava consciente do que acontecia à minha volta. Percebi que o carro acelerava e fugia e que a rua estava deserta. Lembrei-me de um vizinho que ficava muitas vezes sentado perto da janela; tive medo de perder a consciência. Ao mesmo tempo, tinha uma sensação de incredulidade, a consciência de que aquilo não podia estar acontecendo comigo.

Levantei a cabeça e gritei com todas as minhas forças, na esperança de que meu vizinho me ouvisse. Na verdade, gritava para

Sharon
Surpresa, choque, descrença, desafio, provocação

Sharon é inflada, assertiva e rejeitadora. Sua meta é aparar o golpe ou manter os outros à distância. O peito de Sharon é puxado para cima e arqueado; nádegas, coxas, coluna e pescoço são tensos; o abdome, duro e protuberante.

que qualquer pessoa pudesse me ajudar. Enquanto fazia isso, senti algo molhado em meu rosto, percebi que era sangue e me dei conta de que estava gravemente ferida. Tentei ficar em pé, mas caí novamente, ainda gritando por socorro. Quando meus vizinhos me socorreram, comecei a dar instruções: "Estanque a hemorragia, traga-me um cobertor, chame a polícia". Finalmente, a polícia chegou e fui levada para o hospital em uma ambulância com a sirene ligada. Lembro-me vagamente de que esse detalhe me deixou ainda mais preocupada.

Tudo não levou mais do que alguns minutos, mas depois tive de passar horas no hospital, fazendo exames, enquanto os médicos tentavam descobrir se eu havia sofrido uma concussão cerebral ou uma lesão na medula. Finalmente, tive de ser anestesiada para que os médicos pudessem dar alguns pontos em minha cabeça. Meus estados emocionais incluíam surpresa, determinação de me salvar e, finalmente, uma sensação de irrealidade, como se fosse um sonho, essas coisas estranhas acontecendo comigo tão repentinamente. Em retrospecto, acho que minha resposta ao acidente ocorreu em diferentes estágios: logo no começo, eu me sentia incrédula e me organizei como se estivesse sendo atacada; em seguida, me dei conta do choque do atropelamento, da fuga e do pânico de ficar sozinha; depois, senti dor, enquanto estava na ambulância e no hospital, e finalmentte medo, então o sentimento de impotência tomou conta de mim.

Ainda hoje, vários anos depois, esse acidente ainda afeta minha vida. Fico imaginando que coisas ruins vão acontecer comigo quando saio na rua, andando ou dirigindo. Tenho de me forçar a parar de fantasiar que algum acidente possa me acontecer de novo. Fico assustada ao ver carros em alta velocidade ou quando algum motorista, parado, esperando o sinal abrir, acelera o motor do carro; sinto mais medo ainda se isso acontece à noite. Tanto assim, que muitas vezes peço a algum amigo que me acompanhe quando tenho de sair à noite e, mesmo nessas condições, volto cedo para casa. Embora esses medos extremos estejam diminuindo, de vez em quando alguma coisa no ambiente me faz lembrar aquela noite e desencadeia os mesmos sentimentos de então.

A postura física que assumi em resposta à agressão é me retesar e enrijecer, como se eu estivesse me preparando para lutar ou correr. Sinto isso principalmente nas costas, pescoço, barriga da perna e na parte superior dos braços. A idéia de que posso perder o controle fica mais intensa e ocasionalmente beira o pânico e pensamentos obsessivos. Será que vou ficar descontrolada de novo? Se isso acontecer, como vou poder recuperar o controle de mim mesma ou da situação? Esses medos vêm acompanhados de um sentimento de desesperança e uma sensação mortal de desespero, que tento superar fazendo alguma coisa ativa ou telefonando para algum amigo. Percebo que venho buscando mais contato com as pessoas do que costumava fazer no passado, para não ficar tão sozinha, coisa que eu até apreciava antes do acidente. Quando estou em público, sinto que fico mais alerta, vigilante e cuidadosa. É nesses momentos que sinto novamente o retesamento. Minha experiência subjetiva daquela situação foi que algo totalmente inesperado, fora de meu controle, acontecia. Naquela hora, não me senti vítima, mas, mais tarde, quando o apoio de minha família e dos amigos já não era tão intenso, tive de lutar com meus medos para poder funcionar. No começo eu sentia medo; depois, raiva. Outro choque para mim foi me dar conta de que nunca tive controle absoluto sobre minha vida, coisa em que eu acreditava antes. Organizei-me, então, para ser prudente e cuidadosa, e passei a prender a respiração. Antes do acidente, minha imagem interna era de força e extroversão, mas agora me sinto frágil, encolhida e reservada. Perdi meu espírito de aventura e destemor.

Vivenciando o modo como organizo meu corpo e minhas respostas emocionais, tenho de novo a sensação de estar no controle de mim mesma. Quando um velho estímulo detona meu medo, posso identificar o enrijecimento e o retesamento. Então, posso me desfazer do medo, suavizando minha postura corporal, ou, se está além da minha possibilidade, mudo de ambiente. Embora não tenha deixado nenhuma cicatriz, essa agressão está marcada em mim para sempre e teria dominado minha vida se eu não tivesse sido capaz de identificar e reorganizar uma parte de seu padrão somático.

O exercício de sanfona, de expansão e contração, é útil para mim. Quando exagero minha postura, fica mais fácil identificar os componentes corporais isolados de meu padrão de estresse. Minha conscientização aumenta, assim como meu controle dos diferentes aspectos desse padrão. Consigo reorganizar outro sentimento. Esse exercício me ensina o autocontrole e a auto-administração, confirmando que meus estados emocionais são coisas sobre as quais tenho alguma influência. Essa atitude é mais satisfatória do que viver tentando controlar o mundo e as pessoas que estão nele. Agora consigo interromper o processo de retesamento e de obsessão, exagerando e relaxando o padrão de estresse. Consigo me dar conta de que há um jeito diferente de me relacionar com minhas emoções de pavor, medo e desespero. Elas não vão durar para sempre, nem vão controlar minha vida sem minha concordância.

O padrão que usei para me defender do impacto do carro foi um exagero da maneira como organizo minha defesa constante, isto é, o retesamento espástico que forma minha atitude de bravata. Quando este se desorganiza, sinto o terror do inesperado. À medida que aprendo a desorganizar o padrão de medo, descubro que auto-administrar-se é diferente de ficar se controlando obsessivamente.

Ao desorganizar o retesamento do trauma e do medo, fica mais aceitável minha vulnerabilidade. Sensações profundas de delicadeza e um agradável fluxo interior de excitação prazerosa começam a ocorrer. Nesse momento, posso abrir mão, de fato, de minha bravata, em nome desse *self* interior. Aprendendo a conviver com essa vulnerabilidade segura, percebo que não tinha mudado apenas minha forma corporal mas também meu conjunto de valores. O acidente tornou-se meu mestre; os padrões de choque e trauma organizaram um novo sentido de *self*, um *self* pessoal mais receptivo.

A ruptura somático-emocional

Os sentimentos não são gerados apenas através do movimento. A forma que uma pessoa organizou para si representa o modo como ela se sente. Compreender isso é básico para o trabalho somático.

À medida que a motilidade das células, tecidos e órgãos de uma pessoa se modifica, seus sentimentos e pensamentos a respeito de si mesma também mudam. Ela organiza uma imagem somática diferente e um *self* possível. Se o ideal do ego ou o papel social de um homem exige que ele mantenha sua masculinidade ou força juvenil, ele estará em conflito entre a tentativa organísmica de se reorganizar e a necessidade de seu ego de manter a forma atual. Esse conflito não é meramente psicológico ou emocional. É um conflito estrutural, um conflito de formas corporais.

Diz-se que um terapeuta deve oferecer apoio a seus pacientes. Mas o que significa apoio? É o reconhecimento do modo como o paciente organiza uma forma para si. Apoiar significa ajudar o paciente a desorganizar aquilo que é inadequado e se reorganizar de um modo mais adequado, conforme suas próprias regras. Oferecer apoio não significa pegar o paciente pela mão ou evitar criticá-lo. Significa ajudá-lo a formar suas próprias idéias ou ações e a aprender com sua própria experiência. A sensação de competência do paciente repousa, portanto, em sua capacidade de administrar aquilo que lhe acontece. Ele pode não ser capaz de administrar o mundo exterior, mas é capaz de administrar-se.

Pulsação — o cerne do processo de organização

Um dado fundamental para o processo de organização é um fenômeno que chamo de pulsação, um movimento único e arquetípico. A pulsação é um padrão profundo e primitivo que organiza e canaliza a excitação ao longo de um trilha, para criar uma forma. O batimento cardíaco é uma pulsação com a qual todos estamos familiarizados. Se ele fosse visto em um ecocardiograma, seria possível perceber uma série de imagens esquemáticas dos movimentos do coração, como as que se vêem em um tela de radar. O coração se expande e se contrai, assumindo formas específicas, sob diferentes condições, ao longo do tempo. Essa morfologia duradoura molda a si mesma, de acordo com os desafios que encontra; ora há um aumento ora uma redução do movimento. Quando se interfere com essa forma pulsatória, há uma mudança completa na consciência da pessoa e em sua responsividade.

O padrão pulsatório fundamental, para dentro e para fora, forma um perímetro, uma superfície e um interior. Os pontos extremos de seus movimentos representam um padrão que tem limites externos e internos. O ritmo e a amplitude do movimento do coração estabelecem uma série de membranas e estruturas que mantêm uma morfologia viva ao longo do tempo. O movimento, a percepção, o pensamento e as emoções da pessoa estão representados aí. Toda pessoa é um padrão pulsante de grande complexidade.

A pulsação é uma força dinâmica que deve ser mantida para se ter uma identidade ou uma certa expressão vital. Ela dá origem às sensações que criam a imagem corporal primitiva. Esse padrão pulsatório tem bilhões de anos e constitui a sabedoria arcaica de toda pessoa. Seu movimento incorpora o registro das experiências de toda a criação até este momento, e permite que o organismo como um todo conheça sua história, sua corporificação e sua forma. A realidade somática é esse profundo e enraizado padrão pulsatório.

Para aqueles que são capazes de interpretá-lo, o padrão pulsatório reflete-se nos sonhos e imagens que as pessoas têm, não importando quão encoberto esteja pelas imagens sociais que cada um usa para descrever sua realidade exterior. Se uma pessoa se permite senti-lo, pode percebê-lo ao respirar, ao ficar em pé, ou quieta, e no modo como se move. Ela é capaz de reconhecer uma superfície, um exterior, um interior, um espaço de maior intensidade ou repouso e um espaço intermediário. Quem reconhece todas essas dimensões? O padrão reconhece a si mesmo, uma vez que a pulsação, movendo-se ao longo de um *continuum* de espaços, determina as sensações e os sentimentos que funcionam como um diálogo entre um nível e outro. O padrão conversa consigo mesmo. Portanto, o indivíduo o descreve como algo distante ou separado dele mesmo: "Eu sinto o meu corpo". De fato, é o nível de pulsação, à medida que se espalha ou diminui ao longo de um *continuum* de níveis de seu próprio padrão, que estabelece o autodiálogo ou o autoconhecimento. O diálogo se dá nas camadas de sensação, na interseção dos movimentos. Não é necessário imaginar que uma entidade isolada, independente, esteja de algum modo dirigindo o espetáculo. Ele é dirigido por ele mesmo, por esse movimento que está na própria base de toda a existência. A função do processo de organização é manter esse ritmo pulsatório em resposta a uma forma que está sendo organizada. Quando o padrão pulsatório encontra resistência a seu movimento de expansão, à sua investida assertiva para o mundo, ele se enrijece ou se acelera, numa tentativa de dominar o agente irritante. Alternativamente, ele se retrai da superfície, numa tentativa de hibernar ou esperar que o fator irritante desapareça. Um clínico reconhece esses padrões em pacientes que são rígidos ou colapsados, maníacos ou depressivos, naqueles que lutam ou nos que se engajam numa resistência passiva.

Quando o clínico presta atenção ao modo como o paciente pulsa ou como sua pulsação se organiza em um nível superior de expressão, um fato importante se destaca: uma pessoa é um processo que tem raízes em um ambiente, uma matriz que inclui tanto os outros como a si mesma. Há um movimento, uma forma de a pessoa estar com seu ambiente, com os outros e consigo mesma. Esse movimento acontece simultaneamente — parte dele pode se dar num primeiro plano e parte num segundo. A pessoa pode estar mais alerta à parte que é ela mesma do que ao seu segundo plano, mas ela tem esse segundo plano. A forma que ela mantém, sua forma mutável, é semelhante a um banco de três pernas, constituído por um ambiente planetário, um ambiente social e sua forma pessoal. A conexão que se estabelece com esse ambiente triforme é aquilo que constitui a sanidade somática, a sensação e a experiência de estar enraizado em algo maior do que si mesmo.

Quando esse padrão pulsante se defronta com graves restrições, ou é ignorado em uma esfera ou outra, a pessoa sente-se sem raízes, sem chão e sem história. Ela espera desesperadamente por um futuro de conexão. Isso descreve nossa cultura atual. Estamos presos a uma pulsação localizada, especializada em nossa cabeça, e que às vezes transportamos para os genitais, mas totalmente desconectados da sensação que se refere a ela e da história de seu desenvolvimento, bem como de nossa relação com os outros. A esperança de nosso *self* amedrontado, isolado, é que amanhã tudo será melhor, ainda que não saibamos como formar esse amanhã.

Reorganização física — a chave

Todo desafio de proporção suficiente chama a atenção de nosso organismo e introduz uma mudança na forma interna. Essa premência de reformar a própria forma pode se tornar crônica, subaguda ou aguda. Ela segue um padrão específico, ao longo de uma rota de frustração, trauma ou choque. Este último pode acompanhar os estágios de transição internos ou externos da vida de uma pessoa. Essas alterações se fazem acompanhar por uma reorganização, uma mudança na forma emocional, que nem sempre é considerada.

Os três primeiros desenhos da Figura 1 demonstram a progressão da resposta de susto: atenção, investigação, surpresa. Essas posturas, que variam da surpresa até o alarme real, refletem como a pessoa está no mundo. Um veado que pasta em um campo, simplesmente está no mundo. Se algo chama sua atenção, essa primeira organização cessa, e o animal imediatamente se retesa e presta atenção. O veado se reorganiza.

A cultura de hoje dá um grande valor à primeira postura, ao estar atento. A postura atenta é assumida como normal e natural e traz consigo seu próprio sistema de recompensa: a pessoa que presta atenção é boa e aquela que não o faz é má. A primeira das três posições no *continuum* de susto significa um estado de alerta: o que é isso? devo prestar atenção?; a seguinte, medo e ataque, uma maior intensificação do enrijecimento; e a última, desvio, uma maior intensificação do padrão de fuga.

As três posturas envolvem uma variação de forma. Uma criança pequena, por exemplo, pode responder ao abuso, com medo. À medida que entra na adolescência, ela mantém o padrão de enrijecimento, que então é experienciado como sua postura normal. O *continuum* de susto ilustra a idéia de que as agressões envolvem mudanças de forma, um enrijecimento do organismo, um movimento para cima e alterações no organismo como um todo. Mudanças de forma implicam mudanças na atividade. As três primeiras imagens mostram a condição *overbound* — um aumento de forma, de organização, de estrutura e de atividade. Esse aumento de atividade não é necessariamente um movimento físico, mas pode ser sentido como excitação ou ansiedade. A linha demarcatória entre um aumento e uma diminuição de forma ocorre na terceira posição. À medida que o aumento da estrutura torna-se opressivo, o organismo responde com inibição e depressão. Se a agressão continua, surgem impotência, submissão, descrença e apatia. Finalmente, a pessoa recua para o colapso.

As estruturas *overbound* e *underbound* são hiperativas ou hipoativas, superestruturadas ou subestruturadas. A imagem de susto dramatiza a relação entre a parede do corpo e os espaços viscerais, as superfícies e o interior, e o modo como o organismo pode se compartimentar. A deformidade ocorre de dois modos possíveis: através da diminuição ou do aumento. Os órgãos próximos à parede do peito ou do abdome recebem muita ou pouca pressão.

A primeira metade da seqüência de susto mostra imagens que inflam e se tornam maiores, enquanto a segunda metade representa imagens que ficam menores e desinflam. Estas são as duas defesas possíveis: blefar e inflar, ou recuar e encolher. A pessoa vai da hiperatividade, convulsão, histeria e mania à hipoatividade, hibernação, coma, apatia e indiferença.

O colapso, o ponto final do *continuum* de susto, é uma organização. Pode ser uma organização pobre, mas é uma estrutura. O terapeuta, ao lidar com esse tipo de estrutura, precisa compreender em primeiro lugar como o paciente organiza seu colapso. Por exemplo, o colapso envolve um padrão reflexo de desistência. Isso representa uma organização que garante o colapso, a hibernação do mecanismo de oxigenação, uma vez que colapso e desoxigenação caminham juntos. Em determinado nível, o paciente pode desorganizar seus mecanismos inibidores, ao invés de aumentar sua respiração. O terapeuta deve começar a desestruturar o que está superestruturado. Alternativamente, o terapeuta pode aumentar a motilidade visceral da área colapsada, construindo um senso de pulsação e gerando motilidade de órgãos, excitação e sentimento. Outro modo de o terapeuta fazer isso é usar sua comunicação com o paciente como catalisador.

A ação se organiza num padrão de camadas. Há um esquema genético, neural e emocional para a ação. Para preparar-se para a ação, a pessoa invoca um conjunto de padrões musculares e então aumenta esse padrões para agir. Ela começa enervando um grupo de feixes musculares, vai organizando aquela quantidade mínima que representa sua ação, até organizar todo o padrão muscular de ação. Três níveis estão envolvidos aí: a parte superior do cérebro, a parte intermediária e o tronco cerebral. O exterior de uma pessoa é sua atitude habitual, sua ação em processo. Se ela dá um passo para trás, encontra a ação em seu estágio de preparação. Se ela dá mais um passo para trás, em direção ao sistema nervoso central, encontra a atitude como um padrão que ainda não foi ativado muscularmente.

Recentemente, um paciente me contou que desde que seu casamento terminara ele não conseguia começar um novo relacionamento. Enquanto ele me dizia isso, chamei sua atenção para o modo como ele se apresentava, com uma intensidade focalizada. Quando o incentivei a aumentar essa intensidade, surgiu uma postura de desconfiança, como se ele estivesse me perguntando: "O que você quer de mim?". Esse olhar focalizado era uma tentativa de manter os outros à distância, para então conseguir algo deles.

Quando esse paciente tinha treze anos, seu pai morreu, deixando à mãe a tarefa de sustentar três filhos. Relacionei esse evento crítico com sua postura física atual e a queixa apresentada. Descobri que ele conseguia conversar com homens mas não com mulheres. Ele me disse então que tinha problemas com as pessoas porque estava sempre procurando seu lado mau, ou o que podia haver de errado com elas. Explicou: "Não quero me envolver com uma pessoa porque tenho medo de não conseguir cair fora depois. Fico procurando o lado mau dos outros para me manter à distância e esconder minha necessidade de ser dependente". Notei sua postura física: puxada para cima, retesada para o ataque; pescoço, olhos, peito, estômago e pernas rígidas, como se ele estivesse assustado, abertamente suspeitoso e desconfiado. Esse padrão vivido resultava em seu isolamento.

Começamos um diálogo somático, usando linguagem e sentimento para conectar sua experiência emocional passada com sua atual organização somática, de extremo foco e desconfiança. Minha meta atual com este paciente é ajudá-lo a começar a fazer exigências simples em torno de algumas necessidades básicas. Não estou tentando eliminar seu enrijecimento, o que pode acontecer daqui a uns cinco anos. Antes, estou tentando construir uma estrutura de comunicação. Ensinando meu paciente a desorganizarse, estou conduzindo-o para uma camada mais baixa, tanto somática quanto historicamente. Eu o incentivo a manter sua atitude de afastar os outros, pois assim ele terá algum suporte.

Imagem corporal

Cada pessoa tem uma imagem corporal constituída por uma camada natural, uma camada societal e uma camada pessoal. A imagem corporal básica se organiza naquele ponto em que tudo está em relação com o espaço em volta da pessoa e seu espaço interno. No primeiro nível, a imagem envolve o tecido conjuntivo (ligamentos, ossos, músculos estriados, o eixo) e a orientação espacial (a postura ereta, o andar, o movimento). O segundo nível relaciona a imagem corporal com a situação emocional básica e as necessidades que daí derivam. Por exemplo: "Quero proximidade; quando me sinto grande, não a consigo, mas, quando me sinto pequeno, sim". Há, em seguida, um nível sociológico: "Esse é o modo como quero que os outros me vejam". São esses três níveis que fazem a imagem corporal de alguém. Há um quarto nível, o dado constitucional básico.

Uma das funções do processo é organizar uma lógica externa e interna, utilizando para isso padrões, inicialmente nãoimagéticos e em seguida imagéticos, de experiências internas e externas. A imagem é um circuito, um padrão geométrico convertido em objetos ensinados pela sociedade, para que o organismo possa conversar consigo mesmo. Introjetando os objetos culturalmente identificados, a pessoa consegue dar um sentido social para o seu senso interno.

Os homens que receberam o prêmio Nobel por seu trabalho sobre a visão estabeleceram que o lobo occipital do cérebro constrói uma série de imagens, que ele converte, passo a passo, em uma ordem social. A pessoa não percebe diretamente o mundo como ele é; ela constrói o mundo visualmente no lobo occipital de seu cérebro. À medida que o mundo é processado através de cada camada, todas essas células occipitais são arranjadas geometricamente em formas. Há uma estratificação diferente em cada um desses níveis. A imagem corporal, portanto, é o arranjo de camadas de experiência em formas que conversam umas com as outras para influenciar o comportamento.

Cisão

Há uma premência para a forma no organismo. Uma criança é programada para crescer, para se tornar um adulto. Não estou me referindo ao "adulto" em sua definição sociológica, mas à forma, função e ação do organismo, uma definição biológica. Quando um organismo experiencia alguma coisa, interna ou externa, com a qual não está preparado para lidar, sua resposta defensiva pode interromper esse padrão de crescimento. O cérebro de uma criança pode não assimilar um estímulo excessivo ou uma excitação inadequada. O aparecimento inesperado de impulsos incontroláveis causa medo e dor.

Há uma série estruturada de respostas a um obstáculo: frustração, confusão, impotência, o começo da desorientação, indecisão e, finalmente, auto-alienação. Quando uma pessoa não consegue se organizar para lidar com um problema, ela sacrifica mais e mais partes de si mesma. Ela mantém viva uma parte sua e corta fora ou sacrifica outras funções. Esse processo é doloroso porque a totalidade do organismo da pessoa, assim como seu *self* psicológico, é ferido e se inflama.

A cisão envolve um estado de desprazer do organismo: "Tenho de sair desta situação"; "Devo atacar ou correr?". O organismo fica preso entre o afastamento, a expulsão e a evitação. Há confusão e indecisão. O organismo é capaz de fazer uma separação ou compartimentação entre sua função cognitiva e seu sentimento. Essa cisão envolve dois padrões motores, de ação muscular: ficar e correr. Uma parte do organismo — uma função orgânica, um sentimento, uma sensação — congela, como se houvesse um inimigo ou algo a ser mantido longe. Os padrões musculares de ação são mobilizados para manter o "inimigo" afastado.

A postura emocional de uma pessoa está sempre em funcionamento e forma a base de seu pensamento e ação. Na cisão, a pessoa não tem consciência de uma parte de si mesma. Em algum nível, ela diz: "Estou dissociando isso de minha experiência". Será que isso significa que essa parte não está mais lá? Se um paciente entra em trabalho somático, ele experiencia essa cisão. Essa pron-

48

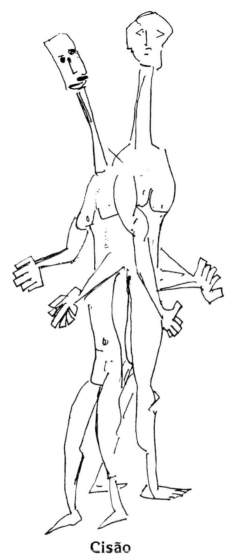

Cisão
Torção e desvio, ambivalência e evitação,
dissociação e compartimentação

Um padrão duplo: escapar e ao mesmo tempo ficar parado; uma parte foge e a outra focaliza e encara.
  Esse padrão envolve negação e um conflito do qual não se pode escapar. Duas identidades de *self* separadas resultam daí: o covarde e o herói, aquele que faz e o que duvida. Uma parte pode ser rígida e densa e a outra, pequena e fraca.

tidão do organismo para caminhar em duas direções opostas, duas ações musculares separadas, estabelece uma ambivalência percebida e uma sensação de "estar sendo rasgado ao meio".

A cisão tem implicações clínicas. É um sentido de autoreferência, não um material regressivo, que vai surgir à medida que um paciente reforma a si mesmo. Quando um paciente relembra um evento, o terapeuta pode pensar que ele está revivendo uma experiência passada. Na verdade, relembrar pode ser a única referência que o paciente tem para descrever o estado no qual se encontra em dado momento, passando ao estado seguinte. A confusão aparece se o terapeuta acredita que a descoberta de um estado histórico reconstitui o paciente. Ao contrário, o estado histórico é parte da reorganização somática. São eventos completamente diferentes. O terapeuta não está lidando unicamente com material regressivo.

É assustador para o paciente estar inseguro quanto ao seu estado. Ele não consegue se orientar. Se está dominado pela ansiedade, ele vai buscar em seu banco de memória um outro momento em que vivenciou sentimentos semelhantes. Ao estabelecer um ponto de referência, a organização somática entra em jogo. A pessoa relembra não apenas o evento, mas a corporalidade do evento, registrada como memória motora. Quando o terapeuta desestrutura o paciente, ele precisa lidar com a corporalidade da memória e não apenas com o *insight* que ela fornece.

A caminho do *self*

As pessoas sentem que seu jeito pessoal de fazer algo é o certo. Qualquer interferência nesse impulso de auto-afirmação desencadeia uma reação específica. Há um aumento de atividade, acompanhado por uma determinação que diz: "O meu jeito é o certo" (Quadro 1). O movimento do organismo para a frente é interrompido. Essa atividade aumentada — raiva ou medo — cinde a pessoa, separando-a de seu movimento contínuo e começa um movimento descendente que pode acabar em descrença, desamparo ou desespero.

O sistema de crenças de uma pessoa provém de sua organização. Cada ponto ao longo do movimento descendente tem sua própria racionalização e carrega consigo seu próprio medo, em função do que a pessoa deixou para trás e do que pode vir adiante.

Uma pessoa medrosa tem medo de sua própria raiva (um passo para cima), bem como de sua impotência (um passo para baixo). Ela racionaliza que "os mansos herdarão a terra". Uma outra pessoa enraivecida acredita que os outros estão querendo atacá-la, portanto, atacará primeiro.

No processo de formação da maturidade, os desafios e agressões produzem sentimentos de auto-afirmação que são acompanhados por compensação agressiva. "Danem-se os outros, eu é que estou certo", é a colocação verbal. A atitude de estar certo e as racionalizações emergem e se colocam de frente para o obstáculo. Se a agressão é poderosa ou se a pessoa está constitucionalmente disposta, ela pode se decidir a investigá-la, antes de atacar. Se o obstáculo a assusta, ela pode não saber o que fazer. Se ela se sente dominada, pode se deitar e deixar que o obstáculo passe por cima dela. Pode se fazer tão grande quanto possível e atacar, organizar-se para esperar ou tornar-se tão pequena quanto possível, na esperança de que o obstáculo desapareça. Essas são as diferentes posturas de susto.

Quando uma pessoa decide que a melhor estratégia a adotar é esperar, ela passa de uma organização aumentada para uma diminuída. À medida que desvia para não enfrentar o obstáculo, ela começa a se dividir ou a se separar de sua meta. Ao colocar a salvo seu *self* básico, ela preserva um conjunto de atitudes, enquanto organiza um conjunto diferente. Ela se compartimenta.

Há ordem no organismo. A ordem é inicialmente experienciada como pulsação, uma experiência confiável, contínua, de auto-reconhecimento, como a respiração ou o batimento cardíaco. Essa pulsação dá um sentido básico de ordem, a partir do qual a pessoa pode descobrir sua própria ordem interior ou a maneira de, conscientemente, estabelecer ordem. Estrutura é função. Não pode haver função sem estrutura, nem estrutura sem função. A estrutura, assim como a função, tem uma organização. Há uma ordem interna para sustentar a forma e para desorganizar o comportamento. Uma pessoa sob estresse vai da posse à ausência de limites, para manter ou desistir da forma. Formar e desmanchar é uma experiência de ordem.

A mania pode acompanhar o medo e a raiva. Tão logo uma pessoa se depara com um obstáculo, ela aumenta sua motilidade e excitação, o que pode dar início a um ciclo maníaco, a um aumento ilimitado de excitação, pulsação e atividade para resolver um determinado assunto. A mania está intimamente ligada ao pâ-

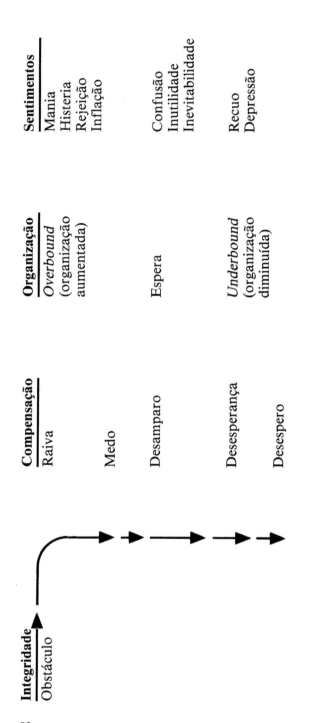

Integridade Obstáculo	Compensação	Organização	Sentimentos
	Raiva	*Overbound* (organização aumentada)	Mania Histeria Rejeição Inflação
	Medo		
	Desamparo	Espera	Confusão Inutilidade Inevitabilidade
	Desesperança	*Underbound* (organização diminuída)	Recuo Depressão
	Desespero		

QUADRO 1:. A caminho do *self*
Quando a integridade do *self* é desafiada, a pessoa compensa isso com uma série de respostas para preservar e manter a si mesma.

nico e à histeria. É um estado hiperativo, fora de controle, de desorganização aumentada. A pessoa maníaca se sente obrigada a manter a ordem e a forma correndo atrás do próprio rabo. Ela tenta preservar a estrutura que possa ter e evitar que ela entre em colapso. Ela não está tentando se livrar da energia, mas sim evitar o fracasso. No domínio social, a mania se transforma em histeria, agressão ou ataque. O aumento e a diminuição de organização ficam evidentes no paciente. Por exemplo, quando faço um paciente aumentar sua motilidade e excitação, descubro que seu *insight*, sua percepção e sensações aumentam. Se a excitação é irrestrita, ela pode se transformar em mania e numa perda de limites. Nesse ponto, pergunto ao paciente como ele fala obsessivamente ou como ele pode usar sua auto-administração para inibir a hiperatividade.

Muitas pessoas não reconhecem a seqüência envolvida em seu comportamento que lhes causa problemas. Um paciente pode perceber que está ficando mais deprimido e não saber qual é a seqüência de passos, por isso não consegue interferir no processo. Se na situação terapêutica o paciente aprende como responder aos obstáculos, ele tem uma chance de lidar com eles de um modo menos complicado. Tenho um paciente que sofre de ataques epiléticos moderados. Conversamos sobre seu processo de desorganização. Parte dele é a perda da visão binocular quando a cabeça gira; é o início do comportamento convulsivo. Quando sente que o ataque se aproxima, é capaz de abreviá-lo, desorganizando o reflexo de desvio do pescoço. Isso nem sempre impede um ataque epilético incipiente, mas ele pode aprender como interferir no seu processo de desorganização.

Uma vez reconhecendo qual é o seu padrão, o paciente pode interferir nele. Ele pode ficar com medo, mas isso é melhor do que a impotência. Em seguida, ele pode atacar o padrão de medo. Não é apenas a questão de saber o que torna uma pessoa impotente, mas de como ela desorganiza sua resposta à impotência. O medo não tem, necessariamente, de levar ao terror. O paciente pode desorganizar seu terror e conviver com um pouco de medo. Do medo, ele pode voltar a um grau moderado de aborrecimento, ao invés de passar diretamente do medo ao conforto. Esse modelo para terapia somática reconhece que o cérebro funciona de acordo com um processo seqüencial e ordenado.

À medida que um indivíduo constrói um corpo pessoal, ele organiza uma vida interior. Para mim, a vida interior não são as imagens que refletem o processo, mas as experiências do processo organizando uma forma interna. É diferente dos papéis que a pessoa desempenha. O organizador da experiência é a própria pessoa. O corpo pessoal é a fonte real de uma forma interior. Não se trata apenas de um estado mental. Ele requer um padrão interno de pulsação, um estado de sentimentos, e um diálogo interno entre as associações pessoais, as memórias e as ações atuais que refletem o estado básico das células ou dos tecidos. Então, um circuito cerebral original é evocado, para auxiliar músculos lisos e estriados a estruturarem uma forma somática interna e externa. Um aumento de atividade desafia o autocontrole da pessoa. Ele dá início ao comportamento de auto-afirmação, que pode levar à raiva, à compartimentação ou à esquiva. A personalidade social ainda é mantida. À medida que suas tentativas de repelir a agressão falham, ela desce, penetra na parte inferior do cérebro e se torna uma criatura instintiva.

Uma pessoa hiperativa, superexcitável e impulsiva é extremamente alerta e crê que sua paranóia é um sinal de inteligência. Uma pessoa inflada, cheia de si, navega em suas próprias imagens, sem nenhuma organização. Estes são dois estados totalmente diferentes. A pessoa maníaca não blefa, ela acredita em suas projeções. A pessoa inflada é toda blefe; ela exagera e se decepciona. O recuo e a depressão são respostas reflexas e pertencem a uma categoria própria.

Tanto a estrutura *overbound* quanto a *underbound* exigem muito do terapeuta e pedem respostas diferentes. Ele tem de fornecer estrutura para a pessoa hiperativa, assim como para a que está sem limites (*underbound*). Com as que não têm limites e colapsadas, ele tem de intervir, do contrário o paciente se desmancha em nada. O tipo de vínculo que o paciente deseja indica onde intervir. O paciente sem limites deseja uma relação na qual o terapeuta o contenha, portanto, faz o terapeuta pensar que ambos se assemelham. Uma pessoa inflada pode organizar uma relação com seu terapeuta na qual seja autorizada a ser grande. Essas possibilidades são bastante diferentes. Qual é a forma que o paciente mostra ao terapeuta? Um paciente agradável, bem-organizado, pode dizer ao terapeuta que ele está um pouco zangado, mas uma pessoa angustiada pode se apresentar de um modo mais desorganizado. A forma do paciente indica como o terapeuta deve se relacionar com ele. Por exemplo, tenho um paciente que é sociável, estruturado, rígido, compulsivo, educado, um seguidor de regras.

Seu comportamento mascara uma forma exaltada de pânico masculino e hiperatividade. Ele deseja que eu me mantenha à distância, embora queira que eu alivie seu pânico. O desafio é saber como organizar seu pânico, como formar uma excitação a partir da ausência de forma, como transformar a superestimulação em sentimento e comportamento.

Uma vez que se dê conta de que a vida é um desafio permanente tanto para manter como para formar sua vida, o paciente pode fazer uma escolha. Ele pode assumir a atitude do sistema nervoso autônomo e se engajar em um diálogo confortável com a função vegetativa, à medida que ela oscila do prazer ao estresse. Ou pode identificar-se com o sistema nervoso central, que está sempre preocupado com o desempenho social. Pode ainda escolher algum lugar intermediário. Como ele organiza sua vida depende do conhecimento de certos passos. Como uma pessoa mantém sua forma? Como ela participa das partes transformadoras da vida? Como ela forma sua vida? Estas são as perguntas básicas.

Como uma pessoa usa a si mesma é a chave para sua vida. Isso é o que o terapeuta tem de ensinar ao paciente — como usar a si mesmo: sua voz, seu pensamento, sua ação, seu sentimento. As formas *overbound* e *underbound* representam um mau uso do próprio *self* e forçam o indivíduo a retroceder a mecanismos automáticos. Quanto mais a pessoa desce na escala das posturas de susto, menos pessoal ela se torna. Ela substituiu uma interação pessoal com o mundo por uma ação reflexa.

Agressões de fontes internas

Toda pessoa tem três tipos de *self* — o *self* instintivo, o *self* social e o *self* pessoal. O *self* instintivo é o modo de ser da natureza ou o pré-pessoal; o *self* social se refere às regras e rituais da sociedade, o pós-pessoal; e o *self* pessoal é aquilo que o indivíduo tem e precisa construir para si. O *self* pessoal não é dado ao nascer. Quando a pessoa se torna adulta é possível ao *self* pessoal se desenvolver. O *self* natural é dado pelo código genético, e o *self* social se desenvolve através da educação. O *self* pessoal é a diferença entre agir de acordo com as regras da sociedade ou de acordo com os próprios instintos e fazer as coisas ao seu modo. Essas diferenças são importantes. Toda pessoa, enquanto processo formativo, precisa fazer as coisas ao seu modo e, ao mesmo tempo, obedecer às leis da natureza e da sociedade.

55

As agressões não vêm apenas de fontes parentais ou sociais. Uma agressão pode ter origem tanto dentro como fora da pessoa. Diferentes camadas de uma pessoa podem aterrorizar outras camadas. Fomes e instintos podem estar em conflito com o *self* pessoal, ou necessidades sociais e econômicas podem entrar em conflito com impulsos instintivos. Os três tipos de *self* se fundem em um único e podem também ser agredidos em sua mútua relação. O conflito pode se dar entre a natureza e o desejo do indivíduo, como no caso de um estudante que se prepara para um exame até ficar tão exausto que não consegue ter um bom desempenho. Pode haver um conflito entre a natureza da própria pessoa e o modo como ela introjetou a sociedade, como no caso de alguém que deseja ser artista mas foi pressionado a se tornar profissional de outra área. Tais dilemas causam uma enorme luta interna e são responsáveis pela forma peculiar de cada pessoa.

Uma ex-paciente descreveu certa vez, em detalhes, os sentimentos crus, agressivos e primitivos que apareceram em seu abdome. Esses sentimentos a ameaçavam de um modo que ela tinha dificuldades de identificar. Ela desenvolveu um terror de que uma força pudesse dominá-la. Temia desaparecer em um pântano de comportamento selvagem e louco. Sua agressão vinha de dentro, do conflito entre sua imagem de mulher adequada e bem educada e seus sentimentos brutos de agressão. Ela sentia que seu sistema de autocontrole e autocontenção estava em risco. Sua agressão era uma resposta interna da parte superior de seu corpo a um impulso visceral de sobrevivência, localizado na parte inferior. Uma parte do corpo estava reagindo a outra. Sua forma estava ruindo porque o aparecimento de uma excitação a estava conduzindo a uma postura agressiva, que ameaçava um impulso de igual força para manter a própria identidade, um conflito entre uma forma pré-pessoal e uma forma pós-pessoal. Ao mesmo tempo, seu *self* pessoal criticava os outros dois, a raiva crescente e a necessidade de controlá-la. Essa autocrítica contínua tornou-se um outro nível de agressão. Isso estava tendo o efeito de transformar uma artista muito talentosa, com percepções agudas, em uma pessoa medrosa, em pânico diante da própria vitalidade.

Kevin: o choque inesperado

Kevin é uma pessoa mesomórfica, quadrado, forte, orientado para a ação, um tanto parecido com um viking, audaz e ex-

Kevin
Choque e dor

A estrutura de Kevin é rígida e combativa. Ele é alerta e está preparado para o ataque ou para a luta. Esse padrão é conseqüência de exigências de desempenho e de manipulação emocional.

pressivo. Sua postura é rígida, *overbound*. Sua vida é cheia de aventuras e façanhas heróicas. Embora na aparência e ações seja corajoso, seus sentimentos e seu *self* subjetivo são constritos, refreados e reservados. Ele foi educado para mostrar desempenho aos outros e negligenciou seu *self* pessoal.

Kevin sofreu um acidente de carro, um trauma intenso e súbito, seguido por um curto período de choque. O acidente de Kevin reforçou uma longa história de necessidade de ser um herói, retesado e hiperativo. Depois do acidente, Kevin se preocupava com o fato de não ter tido um desempenho melhor, apesar de estar numa situação sobre a qual não tinha controle.

A agressão de Kevin o puxou ainda mais para cima, reforçando seu padrão de rigidez. Também serviu como um estímulo para ele desorganizar sua tendência de auto-abuso e questionar sua exigência de desempenho. Teve então oportunidade de formar um *self* pessoal não abusivo e um *self* social que reconhecia os outros.

Kevin descreve seu acidente:
Há mais ou menos um ano, dirigindo a quase noventa quilômetros por hora, bati num carro que saía de um cruzamento sem sinal e entrava na estrada em que eu estava. Não houve jeito de evitar a colisão, embora eu tenha brecado e virado o carro para a esquerda. Minha mulher, Sally, estava sentada ao meu lado nessa hora. Em um curto espaço de tempo, talvez alguns segundos, observei o impacto em aparente câmera lenta e, em seguida, o capô do carro sendo amassado como se fosse uma folha de papel. Fiquei ferido, embora não de modo grave ou irreversível. Psicologicamente, fiquei traumatizado. Minha auto-estima, que se baseia no desempenho e na permanente manutenção do controle, desmoronou.

Parecia que as coisas aconteciam em câmera lenta, de tal maneira que cada segundo e mínimos eventos ficaram gravados fundo em minha mente e em meu corpo. Minha atitude dominante era de incredulidade, até que me dei conta de que não ia conseguir evitar a colisão; minha atitude, então, mudou, já que não conseguia tomar conta da situação. Minha atitude de "sou capaz" tinha sido agredida. Eu estava em choque, congelado. Fui dominado por uma sensação de impotência tão intensa como jamais experimentara antes.

Esse acidente teve efeitos duradouros sobre mim. Mesmo agora, um ano depois, sinto meus músculos tensos quando estou dirigindo. Durante alguns meses após o acidente, fui afetado por uma prisão de ventre moderada, algo que eu nunca havia sentido antes em minha vida. Desde a colisão, tenho tido uma série quase contínua de resfriados e crises de bronquite, próximas da pneumonia, graças aos efeitos posteriores da grave contusão que sofri em meu peito. Antes do acidente, eu levava uma vida física ativa. Agora, não me sinto capaz de manter o mesmo nível de energia. Não tenho mais o desejo de realizar coisas como antes. Imediatamente depois desse desastre, estava sempre nervoso, sobressaltado, raivoso e emocionalmente exausto. Fiquei extremamente triste com os ferimentos que minha mulher sofreu. Eu me surpreendia chorando todos os dias enquanto dirigia, indo visitá-la no hospital. Eu me sentia impotente para fazer qualquer coisa em relação à situação dela.

Com essas respostas emocionais, acho que estou cheio de dúvidas em relação a mim mesmo. Tinha a sensação de que estava me debatendo, sem saber o que fazer. Estava enfrentando uma crise de valores e de ação em relação a minha vida no mundo. Mesmo hoje, posso me lembrar, num *flashback* total, detalhes de cada minuto da colisão. É quase como assistir a um filme. Isso pode acontecer a qualquer hora e serve para me lembrar de que meu mundo mudou. Volta o estado de desamparo. Sinto contrações nos braços e no rosto, como se quisesse me debater. Graças a Deus, sei como desfazer isso. Quando o faço, sinto alívio e percebo, mais uma vez, que sobrevivi.

A colisão e o trabalho somático que tenho feito comigo mesmo questionaram o modelo linear de pensamento com o qual havia me acostumado. Agora, quando discuto com minha mulher e com outras pessoas, tomo muito mais cuidado para ouvir, considerar alternativas, fazer uma pausa e deixar que as coisas se acomodem antes de responder com minha atitude de "sou capaz". Minhas idéias não têm mais de ser as "certas". Já não tento mais impor uma idéia, mas procuro deixar que ela surja no momento certo. Entretanto, ainda sinto minha postura física alerta, retesada, puxada para cima, como se seu estivesse pronto para reagir a um perigo vindo do exterior. Isso é acompanhado por pensamentos de que tenho de "tomar cuidado" ou de que o mundo não é tão organizado quanto eu imaginava. O acidente me ensinou que nem sempre estou em condições de controlar o que acontece comigo, de ter um desempenho que corresponda a minha expectativa. À medida que começo a aceitar essa verdade, sinto que sou mais tolerante com os outros e exijo menos de mim. Concedo mais tempo a mim mesmo para fazer as coisas e me contento em fazer o melhor que posso. Em decorrência disso, minha vida parece mais cheia de prazer. Quando aplico o exercício de sanfona à minha experiência subjetiva do acidente, descubro que a imagem que me ocorre é de estar sendo invadido, de estar impotente, embora ao mesmo tempo outros músculos resistam. Organizo mais essa resistência, assumindo minha postura de luta: reteso a barriga, cerro os punhos, respiro mais rápido, focalizo os olhos e me preparo para lutar. Sou capaz de desorganizar essa postura, deixando que, lentamente, minhas tensões musculares se desfaçam, passo a passo e não de uma vez, respirando profundamente e devagar. As tensões em meu peito cedem, a barriga incha, os pés ficam quentes. Minha experiência é que, quando desorganizo a postura de guerreiro, também desestruturo a postura de impotência. Sinto uma pausa, que freqüentemente me dá diferentes percepções do que está acontecendo. Enquanto o guerreiro continua lá fora para entrar em ação, tenho um modo mais suave de me organizar.

Agora, tenho mais oportunidade de fazer escolhas. Não estou trancado em um padrão de resposta única. Torno-me a cada dia mais consciente de que não há "resposta certa" e de que posso tomar um determinado rumo sem ser compulsivo. A percepção de que não pude controlar totalmente meu ambiente ou o que aconteceu comigo me abalou até as entranhas. Estou aprendendo a me reorganizar sem exigências de desempenho.

Quando a colisão volta a minha consciência, não tento mais eliminá-la. Sinto a reprise como evento totalmente corporal, não só como uma coisa que sai de minha cabeça. Essas reprises podem acontecer a qualquer hora. Deve haver uma parte de meu corpo que retém a história toda e a força a vir à superfície de minha consciência. Quando a reprise aparece, assumo a postura de guerreiro, para evitar a impotência. De vez em quando, quando estou dirigindo perto do local em que o acidente ocorreu, todos os meus músculos respondem como se uma outra colisão fosse acontecer. Entro de novo na situação de ataque/fuga. Agora, sou capaz de reorganizar essa resposta bastante rapidamente, quando percebo que ela está em andamento. Essas mudanças vão e vêm; os velhos modos não desaparecem. Percebo que estou construindo algo novo sobre eles. Meus velhos modos se tornam cada dia menos dominantes. Vivencio meu processo mais ou menos como se fosse uma escavação arqueológica, na qual se pode achar restos de civilização, uns sobre os outros. Embora as velhas formas corporais e os velhos estados mentais se reafirmem, estou organizando uma postura mais receptiva. Tenho cada vez menos necessidade de ser um realizador e um herói. Sinto a capacidade de reformar minha postura de vida como um aspecto novo e estimulante de minha existência.

Melissa: uma criança adulta

Melissa é uma criança adulta. Ela parece ter dois corpos. A parte de baixo de seu corpo é amorfa, pequena, indiferenciada. Sua pelve é puxada para trás, com uma lordose lombar parecida com a de uma criança pequena. A parte de cima do corpo é rígida e espástica, parecendo estar sob uma enorme pressão.

Melissa sofreu violência do pai e foi negligenciada pela mãe. Seu exterior é congelado e reflete o terror e o sofrimento que acontecem quando o contato e o conforto são retirados de uma criança. Melissa está hibernando, esperando por sua libertação.

Ela escreve sobre sua experiência:
Sofri violência física por parte de meu pai durante um longo período de tempo. Isso aconteceu desde que eu era pequena até aos seis ou sete anos. Meu pai segurava meus braços para baixo, me cobria de violência verbal, gritando muito. Eu chorava chamando minha mãe, mas ela nunca me ajudou. Ela desculpava meu pai dizendo que eu era mal-comportada. Descobri mais tarde que ela concordava com a opinião de meu pai, de que eu era má e incontrolável.

Os efeitos dessa violência permanecem comigo até hoje. Eu me sinto como uma criancinha que se esconde no corpo de um adulto, sentindo-me inadequada mas fazendo de conta que sou um adulto. Preciso de ajuda, mas acho difícil pedi-la. Nos últimos cinco anos, tive uma infinidade de doenças — bronquite, espasmos musculares, pleurisia, fraqueza e muita dor no peito. Tive um tumor intra-uterino, que cresceu rapidamente.

Eu me sinto retesada e rígida, com um decorrente colapso no meio. Para sobreviver, enrijeci e eliminei sentimentos e memórias. Para mim, o retesamento é uma preparação para um terrí-

Melissa
Terror, violência, desamparo

Melissa é uma pessoa sem limites (*underbounded*) e colapsada na parte inferior do corpo, enquanto o pescoço e a cabeça são rígidos. Ela parece ter dois corpos. Esse padrão é uma resposta à negligência e ao abandono precoce. A parte de cima de seu corpo afasta a parte de baixo, para não ser dominada. A auto-imagem de Melissa é polarizada entre fraca e forte. O pescoço é superesticado e rígido. A cabeça, tubo digestivo e traquéia são espásticos e alongados, distanciando a cabeça e o cérebro do tronco. Os pulmões são esvaziados, o que reduz sua respiração. Tem um tônus muscular fraco no abdome e na pelve, o que contribui para a redução dos sentimentos e a falta de identidade sexual.

vel ataque de fúria. Ele também entorpece meus sentimentos e me permite suportá-los. O retesamento apaga minha consciência e me separa do mundo exterior. Eu não ouço, não vejo e não lembro mais. Quando me reteso, tranco os joelhos, cotovelos e ombros, e aperto meu cérebro. Sei que não há ajuda com que contar. Em minhas juntas, grito por ajuda real. Se me tornar rígida, não estarei mais presente, nem o terror.

Sinto que fico retesada a maior parte do tempo, em relação a outras pessoas e a meus próprios pensamentos e idéias. Fico esperando ser atacada. Freqüentemente, descubro que suporto situações abusivas que outras pessoas não agüentariam nem por um segundo. Mas, para mim, a exploração é normal. Construo barreiras entre mim e o mundo, que vejo como um inferno, um lugar de torturas em que sou obrigada a viver mas do qual não participo. Estou orientada para a sobrevivência, determinada a continuar viva e a funcionar de algum modo. Minha memória é fraca, meu pensamento é rígido. Embora saiba das coisas intelectualmente, não as sinto.

Quando volto os olhos para minha infância, lembro-me de como eu era aterrorizada e paralisada. Ainda sou uma criança aterrorizada. Não consigo crescer e me livrar disso tudo. Ficava desesperada porque nada que eu fizesse podia acabar com a violencia. Não havia ninguém a quem pedir ajuda, ninguém poderia conter meu pai, nem eu podia. Quando ficava desesperada, tentava me agarrar à minha mãe, mas ela respondia com raiva. Perdi a noção da realidade e passei a odiar a mim mesma por não funcionar direito. A maior parte do tempo eu vivia assustada. Achava a escola difícil e fazer amigos impossível, vivia desesperada, sem sabe por quê. Como não era capaz de compreender, sentia-me angustiada. Não tinha noção de mim mesma. Ainda sinto falta de confiança nos outros, tenho pouca consideração por mim mesma e sinto medo e desagrado por relações íntimas. Tenho uma sensação constante e difusa de terror.

Organizo-me retesando, trancando os joelhos, cotovelos, punhos e calcanhares, ombros e pescoço — todas as minhas articulações. Minha respiração é superficial e confinada à parte de cima de meu tronco. Contraio meus músculos o máximo que posso, para trancar os sentimentos e limitar minha consciência. Quando pratico o exercício de sanfona, intensifico esses padrões por etapas e deixo que a rigidez e as contrações se tornem menos intensas. De vez em quando, sinto uma pausa, que permite que um conjunto diferente de experiências e memórias surja. Ocasionalmente, vivencio uma pulsação. Tento me identificar com esse novo estado de sensações, com minhas emoções e com o meu corpo. O exercício de sanfona, de expansão e contração, algumas vezes faz que minha sensação de ser uma vítima diminua. Quando consigo identificar minha resposta, encontro um modo de reestruturá-la mais suavemente.

Originalmente, minha rigidez e retesamento me isolavam do sentimento ou da consciência que eu tenho da violência; agora, eu me torno rígida quando qualquer coisa remotamente me lembra o passado. Quando organizo e desorganizo minha rigidez, posso vivenciar lentamente quão devastadora foi essa violência. Ainda hoje não consigo permitir que sua força plena chegue à minha consciência. A organização e a desorganização, através do exercício de sanfona, começam a quebrar a cadeia de eventos e dão a meu profundo sistema interno uma chance de novas respostas. É maravilhoso quando descubro que muitas das reações negativas que tenho são, na verdade, aprendidas e portanto podem ser mudadas. Posso encontrar novos meios de expressão e vivencio meu passado mais como *flashbacks* do que como uma coisa que tem significado atual para mim.

Freqüentemente fico surpresa ao descobrir como fui ferida. Essa noção não era um conceito muito claro para mim. À medida que me sinto capaz de perceber os níveis da injúria que sofri, percebo também a possibilidade da integridade de um modo diferente. Percebo que desorganizar meu padrão de respostas permite que eu me retese um pouco menos no meu relacionamento com os outros. À medida que faço isso, um pouco mais de meus sentimentos vem à tona. Algumas vezes, consigo ter uma noção de uma parte mais verdadeira de mim mesma na qual confio profundamente.

Procedimento somático-emocional para desorganizar uma agressão

Minha experiência clínica me ensinou que as pessoas freqüentemente não têm consciência de como usam, ou do quanto usam mal a si mesmas. Elas não têm consciência de seu estado somático-emocional e não percebem como separam o sentimento da ação, ou as idéias das emoções. O modo como uma pessoa organiza suas respostas é um processo inato; ela usa a si mesma de um jeito específico, embora não experiencie como faz isso. Esse é o verdadeiro problema clínico.

Portanto, me propus a desenvolver uma metodologia para ajudar as pessoas a aprender de que maneira elas usam a si mesmas e o modo como seu padrão de agressões se organiza. Quando uso esse procedimento, em minha prática pessoal ou com um grupo de pacientes, intensifico o padrão de estresse para que o paciente perceba como ele se organiza em camadas, posturas musculares e emocionais, idéias e imagens, sentimentos e ações. Quero que os indivíduos reconstituam seus padrões de estresse e gradualmente os intensifiquem e desintensifiquem. Uma vez tendo experienciado seu padrão somático-emocional, eles podem começar a decompô-lo.

O padrão básico de agressão não se desorganiza, necessariamente, falando-se sobre sentimentos e lembranças, estimulando a catarse emocional ou buscando visualizações e recategorizações. Essas abordagens podem oferecer alívio, propiciar *insights*, permitir que o paciente se distancie do problema, e até mesmo que ele se comporte de um modo diferente, mas não desorganizam o modo como a pessoa incorporou seu padrão de agressão. Os exercícios somático-emocionais que desenvolvi trazem o padrão de estresse para o primeio plano e mostram como os comandos se organizam em ações. O *continuum* muscular-emocional-cerebral funciona através de variações de pressão, expansão e contração. É a base da postura emocional e da ação. À medida que a pessoa se identifica com seu padrão de organização, ela descobre as projeções de sentimentos, idéias, imagens, emoções e ações que acompanham esse padrão.

Os exercícios somático-emocionais baseiam-se no princípio da "sanfona", de expansão e contração, organização e desorganização, intensificação e desintensificação: aumentar, esperar, aumentar um pouco mais, esperar, diminuir, fazer uma pausa, diminuir um pouco mais. Esses exercícios instruem a pessoa sobre o modo como ela usa a si mesma e indicam como usar o que ela aprende. Eles também oferecem um modo de desfazer respostas reflexas, de conectar padrões musculares a estados emocionais e a imagens e pensamentos que os acompanham, e de restaurar um modo somático-emocional básico de estar no mundo.

Usando os procedimentos somático-emocionais, a pessoa reorganiza seu padrão de agressões, trazendo-o à tona, camada por camada, até que as estruturas musculares profundas revelem seu papel. É bastante parecido com girar um parafuso. O movimento numa direção ou noutra faz que ele fique mais apertado ou mais solto. De modo semelhante, uma vez que a pessoa aprenda como seu padrão de agressão se organiza, ela pode começar a desorganizá-lo e reorganizá-lo.

O exercício da sanfona, de organização e desorganização, focaliza a atenção nos aspectos do reflexo muscular de contração-relaxamento sobre o qual o indivíduo tem algum controle. O comando — aumente, aumente mais ainda, diminua — permite à pessoa desfazer aquilo que ela está fazendo; ela pode aprender a desorganizar aquilo que acabou de organizar. A contração muscular faz que os antagonistas do mesmo grupo muscular se distendam; o reflexo de alongamento exige que esses músculos distendidos comecem a se contrair. Esses procedimentos criam um ritmo mais lento do que aquele com o qual a pessoa está normalmente habituada. Esse movimento em câmera lenta dá um sentido diferente de tempo e permite que os músculos de ação mais lenta dominem os músculos de fibras vermelhas, de ação mais rápida. Uma experiência semelhante a uma maré de pulsação rítmica desenvolve-se e informa o córtex sobre os ritmos básicos da pessoa — extensão, expansão, pausa, recuo, contração, pausa. A experiência é estratificada; a pessoa percebe que tem um interior e uma profundidade, assim como uma superfície e um exterior.

Os exercícios somático-emocionais mudam o estado no qual a pessoa se encontra e incentivam o retorno da pulsação básica, a expansão e a contração viscerais rítmicas do sentimento. Esse ciclo peristáltico provoca uma sensação interna de calor nas vísceras e uma noção de interior ou de centro. Gera também informação, da qual brotam imagens de sentimentos, e organiza estados bioquímicos de existência, como por exemplo o de prazer. Quando o estado no qual a pessoa está vivendo se altera, seu sistema de valores também muda.

Aquilo que a pessoa monta pode ser desmontado, cada camada pode ser desorganizada. Um exercício evoca a forma da pessoa e depois pede a ela que crie mais forma ou desfaça aquela que criou. Aprender a controlar o próprio *self* em ambas as direções permite que o indivíduo conviva com um *continuum* de sentimentos, sensações e associações. Ele aprofunda sua autopercepção, seu autodomínio e a posse de si mesmo. E, o que é mais importante, ele aprende como funcionam a forma e o processo de formação e como desprogramar e desorganizar estados de agressão profundamente enraizados. Uma vez que a pessoa reconstitua seu padrão de agressão e aprenda como ele se formou, ela se torna capaz de conter os sentimentos e as lembranças que estão associados a ele, torna-se capaz de reorganizar seu estado e formar um *self*.

Rigidez e espasticidade

Quando trabalho com certos pacientes que são rígidos e espásticos, oriento-os a reconstituir seu padrão de retesamento contra a dor e a vivenciar, então, as múltiplas camadas e perceber qual é o estado que o retesamento organiza. A função da rigidez e da espasticidade é criar proteção, mais sentimento de poder. Mas isso não pára aí. Junto com a forma mais contraída e rígida, o espaço vital se torna menor e menos disponível. O estado de alarme aumenta o tônus muscular. Começa com um estado de prontidão, que vai se aprofundando até a rigidez e a espasticidade. Esse padrão se origina na parte de cima do corpo: pescoço, boca, olhos e, especialmente, mãos e dedos.

Ao trabalhar com um paciente com esse padrão, posso pedir a ele que se sente, coloque os braços ao longo do corpo, e que se estique intensamente dentro dos dedos, o máximo que puder. Peço a ele que repita esse padrão de esticamento e lenta descontração várias vezes. Quero que ele vivencie sua rigidez e condição de excesso de limites e se torne consciente de como isso se espalha pelo braços, ombros, coluna, pernas, peito e cabeça, o grau do comprometimento e a profundidade na organização total. Faço então, que a atenção do paciente se volte para as características emocionais de seu padrão somático. Pergunto que tipo de experiência está começando a se desenvolver nele. Ele se sente desligado e entorpecido? Seu organismo começa a se contrair como se fosse ficar bidimensional? Sua rigidez o faz sentir-se destacado, ao lado de si mesmo, separado, dissociado? A pessoa pode começar a reconhecer essas fases. Em seguida, posso pedir que ele retese as mãos novamente e pressione os braços contra os lados do corpo, para que sinta o conflito entre tentar respirar e retesar os braços. Sua garganta pode se fechar ou contrair. Ele consegue sentir a rigidez se espalhando dos braços para o rosto e a boca, e descendo pela garganta até o peito? A rigidez se estende para as pernas e pés? Ele pode praticar a desorganização gradual do padrão, primeiramente nas pernas, depois no abdome, peito, garganta, rosto, cabeça, ombro, braços e finalmente nas mãos. Repito esse procedimento de enrijecimento e descontração várias vezes para que o paciente vivencie mais seu processo e o modo como ele afeta todo o organismo.

O que a rigidez organiza do ponto de vista emocional e cognitivo? O paciente percebe o perigo como vindo do exterior ou são seus próprios impulsos que são percebidos como inimigo? Um aumento de energia exige uma resposta, embora as sensações possam representar um perigo contra o qual a pessoa se enrijece. Quando o paciente libera essa rigidez, ele pode ser invadido pelas sensações e lembranças das quais vem se defendendo.

Esse simples exercício, usando os braços e as mãos, reconstitui a resposta primária de susto de uma pessoa rígida. Repetindo o exercício, desorganizando-se em etapas e descobrindo que pensamentos, sentimentos e imagens emergem, o estado do paciente torna-se seu próprio mestre. Ele vivencia como cria seu padrão espástico de estar no mundo e pode reconhecer e desorganizar aspectos desse padrão que permanecem em sua vida cotidiana.

Puxar para cima, surpresa, pavor

Algumas pessoas respondem a uma agressão estabelecendo um limite para manter os outros à distância. Elas criam um estado psicológico interior de distanciamento. Quando uma pessoa com esse padrão se desorganiza, cautela e medo podem emergir. Ela vive num conflito entre ação e pecepção, entre puxar para trás e empurrar para longe. A luta entre atacar e recuar determina seu modo de estar no mundo, a forma que assume e o modo como pensa e se sente a respeito de si mesma.

Com esse padrão de agressão, peço ao paciente que se sente numa cadeira, dobre o cotovelo, coloque as mãos na altura do peito com as palmas viradas para fora, e estique os dedos. Isso lhe dá a sensação de estar pronto para empurrar um objeto ou para resistir a algo ou alguém. Peço-lhe que mova as mãos e os braços uns quinze centímetros para a frente e diga em voz alta: "Fique aí!". Ele pode repetir esse exercício várias vezes — intensificando e relaxando — até experimentar contrações nos braços, bíceps, ombros e pescoço. Pressurizando gradualmente todos os segmentos musculares, o padrão de surpresa é invocado. A pessoa não relaxa nem abandona o padrão, mas o desorganiza passo a passo. A surpresa pode se transformar em preocupação e a seguir, em medo.

Essa posição de surpresa, cautela, de repelir algo, de manter algo à distância, afeta o pensamento e o humor da pessoa. Faço com que ela repita essa postura de empurrar, usando os braços e mãos e focalizando suas expressões emocionais de desconfiança, raiva e medo. O paciente fica aterrorizado à medida que invoca o padrão completo nas mãos e dedos, nos pés e pernas, no pescoço, cabeça, mandíbula, abdome e nádegas? Entra em choque profundo e hibernação puxando-se para dentro e para cima? Ele se entorpece para se fingir de morto? Seus pensamentos se aceleram? Imagina que alguma catástrofe vai acontecer? Submete-se à própria sorte? Ele está no passado ou no presente? Ele se sente pequeno e infantil ou grande e adulto?

A intenção de invocar o padrão de empurrar é permitir que o paciente sinta seu padrão de estabelecimento de limites, a profundidade desse padrão, como ele se organiza, passo a passo, camada por camada, e saiba como usar a experiência de organização para desorganizá-lo. À medida que experimenta os múltiplos níveis de seu padrão de empurrar (cautela, submissão, terror, choque profundo e hibernação, com sua concomitante organização somática), a pessoa descobre que partes desse padrão não são mais necessárias e começa a estabelecer limites mais adequados para o momento.

Susto, surpresa e enrijecimento

O padrão de susto é estratificado e envolve uma seqüência de contrações orgânicas, musculares, que vão do retesamente moderado e um aumento da prontidão até o espasmo do terror. Como a resposta a uma agressão se reorganiza continuamente, ela fica profundamente enraizada na vida corporal da pessoa. Uma vez que o padrão de agressão é contínuo no nível mais profundo da rede muscular, ele é, de fato, uma postura emocional automática, que se intensifica quando invocada no presente. Quase sempre é difícil romper as seqüências de movimento de um padrão de resposta fixo como este. Quando trabalho com alguém que está trancado em uma resposta automática à agressão, quero que essa pessoa experimente as camadas de organização que existem em seu padrão e a seqüência envolvida quando se vai de A para B.

Peço ao paciente que se deite em uma cama, coloque os braços ao longo do corpo, com as palmas das mãos voltadas para dentro, e comece a enrijecer ou esticar os braços e mãos. Faço que ele repita isso lentamente várias vezes, até que comece a ter alguma noção do padrão completo. Enquanto ele se enrijece e relaxa, peço-lhe que diga em voz alta: "Cuidado", "Preste atenção" ou "Não faça isso". Desse modo, ele pode começar a captar como sua primeira contração de enrijecimento se intensifica até o espasmo e as etapas intermediárias. Enquanto repetimos essa postura emocional e reconstituímos o padrão, tento fazer que ele experimente os níveis, as camadas e a estrutura de sua resposta e a diferença entre um desafio inicial e um espasmo fixo.

Enquanto ele se move para a frente e para trás, entre o retesamento e a rigidez, chamo sua atenção para as diferentes camadas de sua experiência — o que está acontecendo em sua garganta e mandíbula, braços e ombros, peito e barriga, boca, olhos e cabeça, pernas e pés. Peço a ele que faça uma pausa em cada ponto, para que sua experiência organísmica possa se imprimir em seu cérebro. Quero que ele experiencie como um pequeno grau de enrijecimento está ligado a "Cuidado!"; um aumento da organização está relacionado ao "Preste atenção!"; e o espasmo total, com o "Vá embora", bem como todas as suas associações psicológicas e emocionais.

À medida que ele diferencia as camadas de organização envolvidas no enrijecimento, faço então que ele volte sua atenção para as qualidades de sentimento contidas na experiência e as imagens que vêm junto. Posso perguntar coisas tais como: "Que tipo de alerta você experimenta? Como é imobilizar-se? Como o padrão de investigação difere da cautela ou da imobilização? Que sentimentos e pensamentos acompanham essas sensações? Você ficou entorpecido? Como é estar dissociado de outras partes de si? O que você sente que tem de fazer para lidar com uma coisa de que não pode fugir? À medida que você vai lentamente desorganizando o espasmo envolvido no 'Vá embora' e volta para o 'Preste atenção!', e, depois, para o 'Cuidado!', você se sente inundado por associações e sentimentos? Sente um nível diferente de excitação?''.

Com a organização e a desorganização do enrijecimento dos braços e mãos, quero que o paciente vivencie todos os níveis de lembrança — motora, visceral, imagética e organísmica. A catarse pode ser necessária, mas em si e por si mesma não põe fim ao espasmo. A desorganização e a resposta emocional, sim. Isso é o que significa a cura.

Conflito e confusão

Um padrão anterior de agressão pode funcionar como uma barreira para o contato atual da pessoa consigo mesma e com os outros. Quando ela é abordada por uma outra pessoa, sente-se desconfortável. Embora não haja nenhuma razão aparente para se sentir ameaçada, ela ainda vivencia a sensação de estar em guarda. Ela se sente desconfiada, amendrontada ou raivosa, mais do que em expectativa, curiosa ou interessada. Seu velho padrão de agressão não foi esquecido, mas funciona como um lembrete emocional do organismo de que ela pode ser novamente agredida. A situação atual é mal interpretada, e o indivíduo evoca automaticamente um padrão inadequado de ataque, de desvio ou de submissão.

Quando trabalho com uma pessoa com esse padrão, peço a ela que focalize a relação entre sua cabeça e o tronco e determine quando seu olhar direto transforma-se em desvio. Faço que ela se deite em uma cama, tensione a nuca e a mandíbula, isolando a cabeça do pescoço e o peito do abdome. Faço que repita esse processo em etapas graduais, tensionando e enrijecendo a cabeça e a mandíbula a cada vez, para que ela experiencie o modo como estabelece um distanciamento interno. Enquanto ela repete esse

71

exercício, chamo sua atenção para o que ela está fazendo com a língua, pescoço, nariz, queixo, palato, olhos, diafragma e barriga. Peço-lhe que perceba o significado de distanciar-se de si e como sua experiência muda quando ela desorganiza as múltiplas camadas de seu padrão. Quando ela percebe como separa sua barriga do peito e o peito da cabeça, sugiro que faça uma leve torsão, como se estivesse se desviando. Pergunto então que parte dela está se desviando e se é compensada por uma outra parte, que insiste em continuar enfrentando.

À medida que intensificamos e desorganizamos continuamente o distanciamento e o desvio em etapas, sugiro que a pessoa identifique os diferentes estágios com sentimentos de desagrado, repugnância e repulsa. Será que um pequeno distanciamento está associado com o desagrado, um distanciamento maior com a repugnância e o desvio com a repulsa? Esse distanciamento dá uma sensação de superioridade? Ela começa a menosprezar sua experiência ou o outro? Em que momento o desprezo ou a superioridade moral entram em jogo? O que acontece com sua respiração? Ela deixa de ser abdominal e passa para o peito? Quais são os diferentes sentimentos associados com cada um desses pontos?

Quero que ela ligue sua experiência organísmica com seus sentimentos e associações. Eu a incentivo a investigar a relação entre o reflexo e o volitivo, entre o autônomo e o controlável. O distanciamento e o desvio invocam um reflexo. O que a pessoa normalmente faz nessa situação já está em andamento. Ela então amplifica esse estado. À medida que o faz, lentamente e em etapas, há uma relação entre o que é dado e o modo como ela o aumenta. Cria-se uma relação diferente entre o volitivo e o não-volitivo, entre o córtex, a parte intermediária e a parte posterior do cérebro. Estes são os níveis de seu autodiálogo. Ela pode assumir somaticamente a sensação e a experiência, ligá-las às suas associações e sentimentos, e lidar com elas motora e simbolicamente. A identificação somática aumenta à medida que seu padrão de conflito se torna mais vívido; ela capta, através da experiência, muitos níveis em sua existência e descobre um modo somático-emocional de modificá-la.

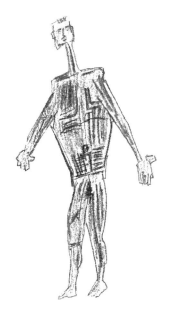

Rígido, denso, enrijecido   Deprimido, colapsado

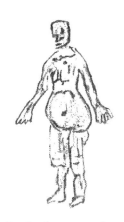

Inchado, amorfo

Fragmentado   Denso, fraco

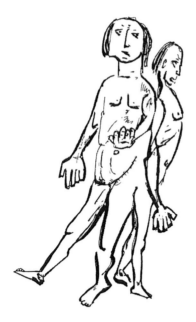

Denso, rígido

Rígido, colapsado

Rígido, cindido

Rígido, fraco

Filosofia clínica e
insights práticos

É essencial para um clínico entender o corpo como um processo, quando ele começa a entrar nas bases somáticas da existência do paciente. Pedir a uma pessoa que se mova de um certo modo, que altere sua respiração, que evoque seu padrão de excitação é, de fato, penetrar no subsolo de sua existência. É preciso encarar com respeito as reações de uma pessoa, já que muitas dessas reações não se enquadram facilmente em categorias, mas, ao contrário, descrevem algo que é profundamente pessoal. As reações da pessoa buscam uma direção para sua forma. Os sonhos, os padrões de excitação, os impulsos, as lembranças e os gestos não buscam meramente articular emocional ou verbalmente uma dor profundamente enraizada, mas, na verdade, configurar uma forma, uma organização.

Quando um terapeuta aborda tensões e contrações, ele penetra em uma organização que sustentou uma expressão de vida específica por um período contínuo de tempo. Essa organização de vida tem um conjunto único de regras. Uma postura é muito mais do que uma defesa ou uma resposta a uma agressão ocorrida na infância. Ela representa o conjunto de todas as experiências de vida da pessoa até aquele momento, organizadas em uma postura que reflete sua vivência. Quando o clínico dá início a um processo terapêutico ou educacional, ele penetra no modo pelo qual a anatomia, como expressão viva e dinâmica da existência, forma, deforma e reforma a si mesma. Uma agressão na infância não é nada mais do que um obstáculo interno ou externo, organizado como uma expressão viva, com suas próprias regras. Independentemente de se usar massagem, *rolfing, kicking**, respiração, alonga-

---

*Kicking — técnica bioenergética que reproduz o movimento infantil de espernear, deitado no colchão.

mento ou os exercícios somático-emocionais que desenvolvi, o clínico começa a aprender alguma coisa sobre a maneira como a pessoa configura a si mesma, quais são suas regras e que forma ela está tentando manter.

Em minha linguagem, isso descreve o processo formativo, aquelas regras de organização que tomam os elementos naturais dados e os aspectos únicos da socialização do indivíduo, e os combinam para constituir um corpo específico. Essas regras são construídas dentro de cada célula individual da existência de uma pessoa e transmitem essas informações, como unidade coletiva, para todo o organismo. Esse processo de organização é aquilo com que trabalha o clínico ou o educador somático — isto é, a vida de uma pessoa.

Até que o paciente se dê conta de que há uma organização mais abrangente por trás de seus sentimentos, pensamentos e ações, ele vai se identificar apenas com seus sentimentos ou, então, de algum modo, com seu terapeuta. Em terapia, à medida que o paciente aprende que há algo mais além de seus sentimentos, pode ter início um diálogo para conectá-lo com seu processo formativo. Pergunto a um paciente: "Como você organiza seus sentimentos?, Que padrão ou forma eles assumem?, O que você quer fazer com eles?". Com essas perguntas, enfoco os sentimentos do paciente e sua cognição a respeito deles e o ajudo a reorganizar uma forma. Quando um paciente está muito fortemente identificado apenas com seus sentimentos, ele luta para encontrar significado neles e pode perder de vista o padrão global de sua organização. Os sentimentos e a ação organizadora é que são a chave, e não os sentimentos e a interpretação.

Uma solução somático-emocional dos dilemas clínicos difere dos pressupostos terapêuticos convencionais. Embora seja essencial mudar o estado interno do paciente, isso não basta. A ênfase na psicologia formativa serve para identificar e manter o processo organizativo do paciente. A tarefa é captar como ele tenta usar a si mesmo. Qual é a verdadeira linguagem que o paciente usa para conduzir o diálogo entre o que ele sente e o que sabe? O cérebro não mantém registro apenas do que está acontecendo, mas também de COMO está acontecendo. Há uma série de comunicações internas que dão origem aos vários sentimentos da pessoa e às mensagens, associações e ações que os acompanham. Essas mensagens ocorrem como sensações, gestos comportamentais, movimentos de órgãos e linguagem. Se a pessoa está disposta a se engajar na experiência formativa, o organismo responderá sempre com sua máxima capacidade para revelar a estrutura e os processos de configuração. O paciente pode ficar repetindo indefinidamente um comportamento estereotipado ou usar sua experiência para se organizar. Toda situação representa, portanto, uma possibilidade, enquanto estímulo de formação.

O estado de um tecido implica aprendizagem no nível celular. A geometria do sistema neural, o modo como as diferentes trilhas se compactam ou se separam, está envolvida. Em termos técnicos, isso se chama neurobiotaxia, alongamento dos axônios ou estimulação do padrão geométrico de disposição e excitação dos corpos celulares. Alguns terapeutas, educadores e pais não compreendem a disparidade metabólica. Um impulso nervoso viaja cerca de doze metros por segundo, se o caminho for direto. Há um arco reflexo simples, que vai da superfície para a medula espinhal e daí, novamente, para o terminal motor. Quando penetra na parte intermediária do cérebro, o impulso se estreita e é empurrado, através da ponte cerebral, para uma área de superfície maior. Aquilo que antes viajara a uma certa velocidade, precisa agora percorrer uma distância maior; portanto, há uma disparidade entre a excitação e a resposta. Terapeuticamente, isso significa que a interação verbal tem de esperar que ocorra uma mudança em níveis inferiores, que converte o *insight* em sentimento e mudança celular. O trabalho somático excita diretamente o corpo e faz essa excitação mover-se para outras estruturas, para criar uma organização simbólica e comportamental dos sentimentos.

Os cinco passos

O terapeuta formativo solicita continuamente a aptidão do paciente para encontrar um padrão comportamental, fazendo-lhe a seguinte pergunta: "Como é que você faz isso?". Geralmente, há cinco passos para a resposta, que são: (1) a postura corporal/emocional; (2) o modo como a pessoa organiza sua postura; (3) o modo como ela desorganiza sua postura; (4) o modo como ela se mantém desorganizada; e (5), finalmente, o modo como ela se reorganiza. Esse processo acontece o tempo todo. Cada uma dessas etapas representa uma tentativa de manter ou vivificar a forma, ou de desorganizá-la e, então, reorganizá-la. Os cinco passos envolvem um diálogo, no qual o processo conversa consigo mesmo sobre as mudanças de direção ou alteração de seu metabolismo.

Entre os passos dois e três, trava-se uma luta entre a organização e a desorganização. Em uma vida normal, a organização dá forma à pessoa, faz que ela se mova em direção a um sistema coeso de expressão e a conduz através de padrões de crescimento biológicos e psicológicos. Ao sair de uma forma somático-emocional para outra, algo tem de ser interrompido, diminuído, mudado e reincorporado. Para algumas pessoas, esse fato básico sobre a mudança é ameaçador. Em todo organismo, há uma luta interna acontecendo entre a forma e a reforma. Tive um paciente que, em criança, era alimentado a cada três ou quatro horas, quer estivesse chorando ou não. Se chorasse no intervalo, ninguém devia tocá-lo ou confortá-lo. Ele só podia ser tocado na hora certa. Compactando-se, ele aprendeu a se defender da ansiedade de esperar, assim como de seus impulsos de fome. No trabalho para desorganizar essa compactação, a ansiedade emergiu. Essa ansiedade estava relacionada com seus sentimentos de fome, um estímulo desencadeador que o fazia sentir que ia perder o controle. Fome e apetite eram o sinal para que ele se tornasse denso. Já que fome significava falta, anseio, o apetite era, por si só, o desencadeador de um aumento de organização. A estrutura altamente densa o desviava de sua própria fome. Eu trabalhava portanto para que reconhecesse as características de sua organização compacta e aprendesse o quanto de contato era capaz de administrar antes de perder o controle.

Os exercícios somático-emocionais descritos neste livro ajudam a identificar e a desorganizar padrões de agressão. Eles mudam o estado no qual a pessoa se encontra e incentivam o retorno da pulsação básica. O *continuum* pulsatório engloba a expansão e a contração viscerais rítmicas do sentimento. Esse ciclo peristáltico provoca uma sensação de calor interno nas vísceras e gera a noção de interior ou de centro. Ele gera também informações, a partir das quais se desenvolvem imagens de sentimentos e se organiza um estado bioquímico de existência, como por exemplo o de prazer. O prazer é um subproduto de uma onda peristáltica. Quando o estado no qual a pessoa vive muda, seu sistema de valores também muda.

Trabalhar com o processo formativo de um paciente é algo análogo a ser uma figura parental. Um bom pai ou uma boa mãe representa um sistema nervoso mais maduro do que o da criança, portanto, funciona como um limite, até o momento em que o sistema da própria criança se desenvolve. Eles sabem a hora certa de colocar a criança na cama, antes que ela comece a cabecear de sono. O terapeuta somático funciona do mesmo modo com o paciente. Freqüentemente, ele fica sentado e não faz nada mais do que agir como limite. Eu parto de uma premissa básica: pouco é muito. Quando há indicações claras de que a experiência foi assimilada, chegou o momento de dar o passo seguinte.

Uma vez que o paciente tenha algum autocontrole sobre seu padrão de agressão, o estado pulsatório que aparece lhe permite enraizar-se em sua própria natureza. Ele passa a se relacionar com aquilo que gera sua vida excitatória e simbólica. *Grounding* é algo mais do que incentivar sensações nos membros inferiores do paciente. *Grounding* é uma mudança no estado dos tecidos, que gera sentimentos e imagens de vida. A terapia somática promove mudanças nos tecidos, as quais, então, precisam ser suportadas e transformadas em auto-identidade e ação. Essa nova organização permite emergir uma forma que reflete a experiência. Esse estado básico dos tecidos é um impulso de viver, bem como um sentimento de vida que procura configurar uma forma pessoal.

Essa compreensão torna o trabalho com um paciente mais fácil. O processo de organização e desorganização é exatamente o que o paciente experiencia e aquilo com que trabalha o terapeuta somático. Qual é a forma do sentimento? O que é desorganizar? O que se deseja reorganizar? Como a pessoa vive ou evita esse processo? O que se quer reorganizar?

O terapeuta somático penetra diretamente no processo do paciente, consegue que ele expresse, na linguagem do seu organismo, o modo como se move e fala de si — a história de sua experiência em nível celular e emocional. A luta do paciente é travada com a memória celular. Por exemplo, ele pode ter desejado apoio, mas teve de dar suporte aos pais, na esperança de receber deles retribuição. O inconsciente pessoal do paciente, sob a forma de memória motora, coloca-se em primeiro plano, encontrando assim um modo de colocar em jogo as introjeções verbais e imagéticas dadas pela sociedade sob forma de linguagem. O terapeuta somático ajuda o paciente a formar uma nova relação com suas experiências precoces de agressão, criando uma dimensão humana para que ele fale da sua dor e da incapacidade de organizar uma resposta a essa dor.

As camadas de organização celular são uma estrutura básica daquilo que alguns chamam de inconsciente. A pessoa não aciona uma forma simbólica ou um banco de memória e diz "Eu me lembro disto ou daquilo". O trabalho somático estabelece ligações entre as áreas corticais ou cerebrais de símbolos e as ações motoras, convertendo-as em formas de sentimento, de tal modo que os símbolos mentais representam, de fato, estados celulares e de sentimentos.

Como trabalho com um paciente

Estou sempre interessado na imagem que o paciente apresenta, no modo como ela se estrutura, no que está sendo organizado e desorganizado e que forma isso tem. Começo tentando compreender a organização da pessoa.

Ao conduzir uma entrevista com uma pessoa, pergunto-lhe qual foi a crise que precipitou sua decisão de ir ao meu consultório. Começo então a prestar atenção em sua forma, onde ela se recusa mudá-la e como se dá sua dificuldade de conceituá-la ou fazer transições. Mais importante, busco o modo como ela usa a si mesma — ela é superdramática ou tímida? — e como, exatamente, ela faz isso. Procuro então a forma corporal que reflete seu estado. Observo o modo como ela usa a linguagem para descrever o que lhe aconteceu. Sua maneira de usar a linguagem pode me dizer alguma coisa sobre a natureza de suas reações — se elas são sombrias, escorregadias, molhadas, secas, grossas, espaçosas, densas, compactas, efervescentes, quentes, formigantes, pulsantes. Todas essas qualidades são expressões do organismo.

Trabalho de modo a compreender onde a pessoa está, em termos de organização ou situação. Qual é a situação? Qual é a desorganização que está em andamento? Que reorganização está em curso? Quais são as discrepâncias entre o que precisa ser organizado e o que tem de ser desorganizado? Começo a identificar as principais áreas de sub ou superorganização. À medida que o paciente aprende a organizar sua experiência, ele pode então prestar atenção a como esse aprendizado o conduz para uma outra forma e desorganizar sua forma atual.

Tento identificar estrutura e função. Por exemplo, uma estrutura inchada não tem organização interna. Uma pessoa assim está organizada na superfície. Está sempre engajada no processo

80

de incorporar o outro. Ou ela assume o outro e o usa ou entra nele. A tarefa terapêutica com uma pessoa inchada é construir uma estrutura interna. A estrutura inchada precisa exercitar ser densa e rígida e começar a organizar limites. A estrutura inchada é resultado de uma ruptura no processo de crescimento. A criança não recebeu interação suficiente ou a recebeu em demasia. Tudo era feito para ela, de modo que nunca desenvolveu limites e resistência. Pessoas que foram superprotegidas precisam estabelecer limites e enfrentar desafios. Os tipos superprotegidos são hábeis em conseguir que os outros façam as coisas por eles, e seu desafio é saber como se organizar para evitar a preguiça.

Muitas vezes pergunto: "Conte-me o que você faz e como o faz". Quero saber o que o paciente faz, como ele se adensa ou se infla. No caso de uma estrutura em colapso, quero que o paciente vivencie como ele se desinfla e depois infla. Então, ele pode começar a organizar uma estrutura que represente seu tamanho real. Quero que ele pratique ser maior, com uma estrutura que é construída a partir de dentro. Quero suavizar as estruturas densas e rígidas, para ver como cada uma delas vai desorganizar e depois reorganizar uma forma mais suave, flexível.

A formação, o processo organizativo, é satisfatória, ainda que possa não produzir prazer. Tento fazer que meus pacientes percebam o que é satisfação e se organizem para metas a mais longo prazo, e que as sustentem. Vivenciar a satisfação da permanência é a própria recompensa, e essa experiência é diferente da busca do prazer no futuro ou da espera pelo prazer como prêmio da persistência.

Tento ajudar as pessoas a formar algo a partir de suas experiências, tanto interna quanto externamente. Eu as ajudo a usar as que elas já possuem ou a criar uma certa camada de experiência que esteja faltando. Por exemplo, uma pessoa pode aprender a usar seu cérebro e músculos para passar do autocontrole à autoadministração, e daí para a formação de si mesma. Isso envolve três formas distintas.

Pouco é muito. O modo como a pessoa usa suas experiências é a chave para o nível de contato ou intimidade que ela deseja. O estímulo e a excitação são uma parte muito pequena do *continuum* de experiências de autoformação. São, de fato, a menor parte dessa experiência. A vitalidade e a vivacidade não podem nem devem ser definidas dentro de um *continuum* de estímulo/excitação.

Organização *versus* desorganização

Há duas reações fundamentais a um estímulo. A primeira é um aumento de atividade e a segunda, uma diminuição. Essas mudanças baseiam-se no arco reflexo, nos terminais sensorial e motor das sinapses, ou no movimento amebóide da parede celular. Todo organismo tem seu próprio ritmo para projetar-se para fora e recolher-se. Ou acontece um aumento do movimento de expansão ou um aumento do movimento de recuo — um aumento ou uma diminuição de atividade, um aumento ou uma diminuição de organização. Portanto, há múltiplas possibilidades: *overbounded* e hiperativo, *overbounded* e hipoativo, *underbounded* e hiperativo, *underbounded* e hipoativo. Estas são as diferentes respostas a um desafio: um aumento de organização ou de atividade, ou uma diminuição de organização ou de atividade.

O terapeuta precisa saber que aspecto do processo de organização/desorganização ele vai invocar. No caso de pacientes rígidos e densos, ele vai enfatizar a parte de desorganização e incentivar os lugares em que há menor quantidade de forma, isto é, os passos 1 e 4. A meta é suavizar a estrutura *overbound*. No caso das estruturas fracas ou inchadas, o terapeuta vai incentivar a organização, enfatizando os passos 3 e 2. O terapeuta não pode dizer para uma estrutura inchada: "Desorganize-se e se solte", já que não é útil para a estrutura sem limites desenvolver ainda mas o involuntário.

O terapeuta formativo ajuda a gerar e a manter o processo básico vital, as poderosas ondas pulsatórias que são expressas como excitação e sentimentos. Esses sentimentos dão um sentimento de vigor aos pensamentos, ações, relações sociais e ao trabalho de uma pessoa. O terapeuta somático, usando métodos somáticos e emocionais, busca compreender e ajudar o organismo a transformar esses padrões de vitalidade em uma forma pessoal.

Catarse e auto-administração

Quando o terapeuta encoraja um paciente a parar o que quer que esteja fazendo e ficar quieto, mais cedo ou mais tarde vai ter início um movimento involuntário. O terapeuta observa, então, a organização e a extensão desse movimento. Em que ponto dele a pessoa se deixa dominar por forças que ela percebe como alheias ou externas a ela mesma? Sua resposta de ceder à experiência involuntária tem de se tornar catártica? Minha meta terapêutica é ensinar auto-administração e não catarse. Eu perguntaria a um paciente catártico: "Aonde você foi e o que aprendeu com isso?". Muitas pessoas catárticas carecem de pensamento; elas têm um alto grau de reação e excitabilidade e são capazes de se lançar em uma atividade. Ao mesmo tempo, elas não estão aptas a usar sua experiência catártica para formar uma vida ou relações humanas mais satisfatórias. Que bem faz a um paciente ter liberdade de ação se, de fato, ele não consegue ser sociável?

Catarse e liberdade não equivalem, embora a primeira seja uma promessa da segunda. Mesmo não sendo o ponto central do esforço de cura, a catarse pode ajudar o paciente a encontrar alívio para uma pressão emocional ou restaurar expressões emocionais básicas, como a tristeza ou a raiva. Mas há o risco de que domine o organismo e crie desorganização.

Embora possa ser importante para o paciente vivenciar intensas excitações, emoções desenfreadas e momentos espontâneos, ele pode cair em um padrão impulsivo de desorganização. O ponto central da vida humana é a capacidade que o indivíduo tem de transformar suas experiências em uma expressão personalizada adequada. Larry Bird, jogador de basquete, exemplifica isso. Ele tem um talento natural, mas seu talento é ensaiado e praticado continuamente até tornar-se uma organização motora, emocional e sensorial muito complicada e imaginativa, que seja responsiva. Cada erro que ele comete é analisado como uma falha de coordenação que precisa ser integrada. Isso também é verdadeiro para todos nós. Relações intra ou interpessoais bem-sucedidas não acontecem por acaso. Temos de participar ativamente da moldagem de nossos relacionamentos e de nossa vida. É um processo de criação.

Joan: doença em família

Joan é uma mulher pequena, um corpo em forma de pêra, com um grande abdome. Ela é redonda na forma e fraca e indiferenciada em seu tecido muscular conjuntivo. Tem fortes respostas emocionais, mas é fraca quando age, impulsiva e sem controle.

A ameaça de perda de um membro de sua família questionou sua identidade como mãe e desencadeou também um profundo sentimento de desamparo ligado a fases precoces de sua vida, uma

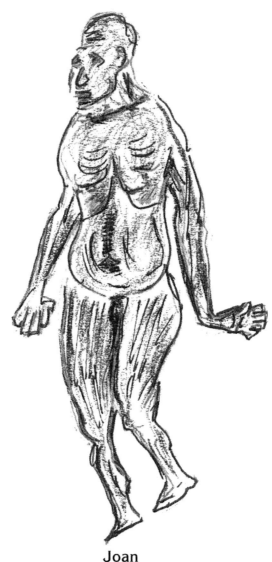

Joan
Desesperança, desespero, hibernação

Joan tem uma estrutura exterior fraca, com um centro de gravidade rebaixado, que ameaça engolfar seu processo racional e a forte motilidade dos órgãos internos. Ela é um adulto não-formado, uma criança que busca um continente. Joan é uma vítima da negligência e da falta de interação, que resultaram no encolhimento dos músculos de autocontenção.

vez que foi uma criança abandonada. Um padrão pré-existente apenas foi intensificado pelo choque e o trauma atual. Ao ser colocada em uma instituição para crianças, seus primeiros vínculos foram cortados ainda em fase de aleitamento. Viveu uma depressão infantil. Mais tarde, com os pais adotivos, Joan foi continuamente negligenciada, carente de intimidade e cuidados maternos verdadeiros. Precisava de contato e o mundo exterior não lhe respondia. Seus próprios impulsos e necessidades internos tornaram-se uma agressão ameaçando sua organização.

Os atuais sentimentos de desamparo de Joan não decorrem apenas da situação atual de doença de seu filho. Uma vez que sua capacidade de estabelecer e romper vínculos foi abortada na infância e adolescência, toda ameaça de perda torna-se um choque. Sua necessidade de pertencer, a capacidade de administrar os próprios impulsos, a necessidade de manter o controle estão em cheque. Ela se sente humilhada e desamparada, e se refugia na depressão.

Joan escreve:

"Há mais ou menos cinco anos, quando eu estava entrando na meia-idade, descobri que meu filho estava com uma doença séria. Entrei em choque profundo por uns três meses, seguidos por dois anos de um entra-e-sai de depressão.

Quando recebi a notícia, fiquei chocada, entorpecida e desejei hibernar. Parecia que tudo à minha volta acontecia em câmera lenta. Sentia-me dissociada e desorientada. Mais tarde, comecei a me sentir desamparada e sem esperança. Então, minha velha depressão, o sentimento que me restou por ter sido abandonada quando nasci, voltou.

Engordei quinze quilos em um curto período de tempo, como se precisasse de uma capa protetora. Fantasiava obsessivamente perdas, imaginando o que faria se perdesse tudo e todos. Comecei a criar maior distanciamento das pessoas mais próximas.

Do ponto de vista somático, eu me retesei e entre em colapso, acompanhado de um trazer-me para dentro. Esse recolhimento está relacionado com a idéia de perder tudo e a sensação de que preciso me proteger, estar alerta, concentrada, esperando e defendendo meu terreno. O retesamento me prepara para receber um golpe. Sinto como uma presença raivosa e ameaçadora pronta para me atacar. Tenho a sensação de perigo, me preparo para lutar ou correr. Ao colapsar, vivencio a perda de tudo, torno-me uma pessoa cheia de mágoas, desesperançada, desamparada, rendida.

As coisas que sinto podem ser metaforicamente comparadas com um grande terremoto que acontece ao longo de uma falha geológica. Minha agressão original, a perda de meus pais verdadeiros quando nasci, acabou conduzindo minha vida através de choques consecutivos — uma infância infeliz, a separação permanente de meus pais adotivos, o divórcio, uma longa experiência de ser mãe sozinha, a saída de meus filhos de casa, para começarem sua própria vida. Portanto, coloco-me ou sou colocada continuamente em situações que reforçam meu estilo de funcionar recolhido, retesado, em colapso. Sinto minha auto-imagem se esmigalhar, implodir e explodir, como se eu fosse uma coisinha.

Minha reação à doença de meu filho foi reduzir meu ritmo mental, diminuir o alcance de minha atenção, perder minha capacidade de concentração. Emocionalmente, comecei a perder o interesse pela vida, a me tornar indiferente ao que estava à minha volta e a mim mesma e a entrar em colapso físico. Minha experiência subjetiva era de estar completamente só, tendo apenas a Deus e à natureza. Sentia-me recuando do mundo. Estava com raiva de Deus, mas não me sentia abandonada por ele: fui atirada de volta às minhas experiências de infância, e a crença em minha própria firmeza foi abalada.

Comecei a usar o exercício de sanfona para trabalhar meu desamparo e descobri que me organizava ficando imóvel, contendo a respiração, cerrando os punhos, enrijecendo a coluna e curvando ligeiramente os ombros para me retesar. Comecei a desorganizar isso, abaixando a cabeça, respirando, sentindo o interior de minha barriga, mantendo os pés bem plantados no chão, levando os ombros ligeiramente para trás, abrindo os punhos e dobrando ligeiramente os joelhos, para relaxar parte da tensão na coluna. Passei a sentir uma onde de pulsação; permiti, então, que essa sensação de calor e motilidade se movesse para cima e para fora, preenchendo meu espaço interno com uma intimidade que estava faltando.

Quando me sinto desamparada, tendo a enrijecer para não entrar em colapso. Com o exercício da sanfona posso sair da rigidez e perceber a escala de movimentos que vão da rigidez ao colapso, permitindo que eu encontre um ponto onde possa viver sem cair em extremos. Passo pela sanfona várias vezes e então faço uma pausa, quando percebo que começa um novo modo de me formar. Esse exercício torna-se o continente no qual posso praticar novas e diferentes respostas e aprender autocontrole. Acredito que essas mudanças são como tijolo: quanto menor, mais duradouro. Essa pequena mudança pode ser integrada a meu repertório de comportamentos, de um modo bastante fácil, e se torna a semente de futuras mudanças. Minha resposta inicial a qualquer agressão é me recolher e me isolar. Com o exercício da sanfona, consigo uma noção interna e sentimentos diferentes, que me permitem restabelecer contato com os outros.

Na recente ameaça que atingiu minha família, meu desafio foi desorganizar o choque e a descrença que tinham por objetivo me proteger e me entorpecer em relação à experiência. Minha extrema resposta de susto me congelava e fazia o tempo andar mais devagar. Meu desafio é me reconectar comigo mesma e entrar de novo no tempo e na vida. Desorganizando a imobilidade congelada, estabeleço contato comigo mesma em um nível muito profundo. Invoco um movimento pulsatório na barriga e pelve que se espalha por todo meu corpo. A minha esperança no futuro não é mais uma imagem mental, mas uma sensação de vida nos tecidos, um sentimento íntimo e reassegurador.

Comentário clínico: Em meu trabalho com Joan, enfoquei dois aspectos. Um deles foi investigar o padrão de depressão, sua organização e função, usando exercícios para aguçar e trazer à tona a estrutura depressiva. Esses exercícios estabeleceram uma sensação interna de autocontrole e aliviaram sua sensação de desamparo. Estando com ela, compartilhando seu medo de perda, minha presença funcionava como um limite que ela pôde aprender a aceitar e aproveitar. Também a encorajei a formar padrões de contração para conter suas pulsações pélvicas e torácicas. Tornou-se capaz de conter um aumento de vitalidade que lhe deu uma estrutura interna, tanto do ponto de vista somático quanto psicológico, permitindo-lhe estar em si mesma e no ambiente.

Jacob: dor e desespero

Jacob é uma pessoa rígida, dura, atlética, cuja forma somática é uma combinação das formas em colapso, rígida e fragmentada. Seu corpo é torcido, como se estivesse indo para a frente

Jacob
Choque, trauma, abandono

O padrão de evitação e dissociação de Jacob é conseqüência de perda, choque e de um luto que não se completou. Sua estrutura é densa, compactada, fragmentada e segmentada, na tentativa de repelir uma dor interna de descrença e pesar.

com um lado do corpo e em direção diferente com o outro. Sua cabeça se encaixa no pescoço inclinada, torta e virada, como se não lhe pertencesse. Por um lado, parece adulto e, por outro, pequeno, desamparado e imaturo. Quando fala, quase sempre parece confuso.

O pai de Jacob morreu de forma repentina, durante sua adolescência, e a incredulidade o fez sentir-se duro e congelado. Ele entrou em um estado depressivo que durou algum tempo. Mais tarde, Jacob foi submetido a tratamentos de choque, que o fragmentaram, dissociando-o de sua depressão, mas não a desorganizaram.

O padrão de agressão de Jacob é estratificado. Na camada mais profunda está sua dor congelada; em seguida, a reação depressiva e, depois, a fragmentação causada pelo eletrochoque. Ele não consegue se manter inteiro sob o peso de pressão emocional ou excitatória.

Jacob descreve seu estado:

Dois eventos importantes ocorreram em minha vida. O primeiro, entre os onze e os treze anos de idade, envolveu a súbita doença e posterior morte de meu pai, a quem eu amava muito. Fiquei profundamente desanimado, não conseguindo acreditar no que havia acontecido nem podendo reorganizar minha vida. Sofri uma grave depressão, e finalmente tive de ser hospitalizado. Lá, recebi tratamento de choque. Perdi a noção de identidade e já não conseguia mais me lembrar do meu nome ou de quantos anos tinha. Até hoje não me recordo do número exato de tratamentos que fiz, embora tenham me dito isso em diversas ocasiões.

Minha resposta a esses dois eventos foi inicialmente de descrença, que mais tarde se transformou em desamparo, desesperança e, finalmente, em desespero. Sinto que estou perpetuamente retesado, com uma organização sobreposta que me pressiona para a sobrevivência e o desempenho de papéis. Emocionalmente, estou num estado contínuo de desconfiança, sempre pronto para receber um golpe. Subjetivamente, isso fica registrado como um estado moderado de ansiedade ou a impressão da iminência de um desastre. Quando me proponho a fazer alguma coisa, sinto-me impotente. Sob estresse, tenho tendência a me desorganizar. Sinto que não posso confiar em mim, e minha tendência é de não confiar nos outros nem acreditar que eles vão estar disponíveis quando eu precisar. Não tenho conseguido estabelecer um relacionamento duradouro e satisfatório com uma mulher. Separo as mulheres em duas categorias: as amigas, que tenho muitas, e as amantes. Quando tento juntar os dois lados, fico ansioso e temo que algo terrível possa acontecer. Tenho medo de me tornar vítima, sem poder, e que os outros então possam se aproveitar de mim. Construo minha postura tentando ser como meu pai, um guerreiro e realizador, alguém determinado a ter sucesso, mas me apavora morrer subitamente como ele. Tenho de provar continuamente minha capacidade de assumir desafios, vencer e sobreviver. Apesar disso, sob estresse, eu me desorganizo e preciso dos outros para não entrar em colapso. Vivo a vida de um figurante, uma pessoa que é incapaz de sentir que pertence a algum lugar.

Sinto um retesamento físico e mental; eu me contraio e enrijeço por causa de minhas experiências anteriores. Acho que há algo errado comigo. Assim, tento me esquivar dos outros, me esconder e ficar isolado e autocontido. Sinto que a transição normal, do jovem protegido pela família para o adulto que, com seu apoio, gradualmente, vai se tornando independente, me foi negada devido aos eventos difíceis de minha adolescência.

Para evitar ser a vítima, eu me reteso e me puxo para cima, para ser o guerreiro. Aperto o cérebro, contraio o pescoço e a garganta, enrijeço o peito e os músculos das costas ao mesmo tempo em que encolho o estômago. Quando intensifico essas ações, começo a vivenciar sua desorganização. Mas no ponto intermediário entre a contração e a desorganização total, eu me sinto muito bem, aliviado, e com a sensação de que estou me reconectando comigo mesmo, algo como um leve transe. Quando sou fiel a esse sentimento, consigo criar uma nova organização e me sinto mais conectado comigo mesmo. Alongo a coluna, para suportar a mim mesmo. Quando me contraio, sinto-me rígido e torcido. Quando consigo desfazer essa compactação, sinto-me jovem e cheio de esperanças.

Agora já reconheço quando entro ou vou entrar na postura de guerreiro. Graças a essa percepção, posso escolher. Eu me torno responsável pela maneira como estou no mundo, simplesmente pela maneira como organizo e desorganizo minha atitude somático-emocional. Meus sentimentos de desespero, resignação, tristeza e perda dependem cada vez mais de mim.

No passado, tentei muitas coisas para aliviar minhas lembranças de depressão e dos tratamentos de choque. Agora, quando esses sentimentos vêm à tona, consigo me relacionar com eles de um modo diferente. É como se eu estivesse reformando meu cérebro e não mais apenas me lembrando, como antes. Esse processo me dá a sensação de ser responsável por mim. Sou capaz de criar um estado de paz e calma no qual sei o que quero e o que não quero. O amor que eu sentia por meu pai já não é mais um perigo. Já consigo estabelecer com os homens relacionamentos que não são competitivos nem dependentes. Com as mulheres, estou começando a juntar cabeça e coração. No trabalho, já não me exijo tanto. Reduzo as excessivas exigências que me coloco e organizo um estado somático sem pressão nem endurecimento. Consigo estar na vida e desfrutá-la apenas, ao invés de sobreviver e desempenhar. Tenho mais contato com os outros. Estou surpreso de que ainda exista em mim tanta vitalidade para estabelecer relacionamentos, para tornar minha vida mais profunda.

Comentário clínico: Ao trabalhar com Jacob, comecei fazendo exercícios para lidar com sua cisão. Intensifiquei seu padrão de rotação, sua postura de evitação. Essa postura servia para levá-lo de volta à infância e poupá-lo de encarar a morte do pai idealizado. Ele não havia sido capaz de lamentar nem de protestar contra a morte do pai e a solidão que se seguiu.

A terapia de choque também desorganizou Jacob, criando confusão e uma terrível rigidez como defesa contra o colapso. O trabalho com esse padrão combinou ações visando desfazer sua espasticidade, aumentar seu sentimento de jovem desamparado e formar, ao mesmo tempo, uma estrutura para conter sentimentos ternos e vulneráveis. À medida que sua rigidez diminuiu, ele se tornou mais seguro de sua masculinidade e não precisou mais vestir a imagem do pai.

O que significa educação somática

Quando um terapeuta entra no processo somático-emocional de uma pessoa, encontra algo mais do que idéias que ela possa ter de si mesma e de seu modo de sentir. Ele começa a descobrir a história corporificada dessa pessoa e como suas interações consigo mesma e com os outros criam uma forma humana que garante sua continuidade. O educador somático tenta também captar a natureza e o significado de uma agressão e a função desorganizadora e reorganizadora que dá voz ao processo formativo, e como essa voz é uma conexão com o indivíduo e algo maior do que o próprio indivíduo.

Esse é o espírito que deveria sustentar todo trabalho somático-emocional. O trabalho somático requer coragem, respeito e imaginação, tanto do terapeuta como do paciente. O educador somático é mais do que um mecânico do corpo ou um intensificador de emoções; é uma pessoa que trabalha com um processo de criação. Descobrir o que esse processo significa para o paciente é diferente de impor a ele uma meta estereotipada.

O terapeuta somático busca aprender as regras que o paciente adota para moldar sua forma, e em que momento, por ignorância ou medo, ele abandona essas regras. Uma pessoa nasce para criar forma, e o momento atual pode ser o momento certo para criar outras formas. Este é o sentido da frase "Anatomia é destino". Anatomia é destino quanto significa a capacidade de organizar uma infinidade de formas emocionais. Transforma-se em um conceito negativo quando vista como fixa e inalterável. A anatomia é uma morfologia complexa que manifesta uma percepção vital ou consciência da sensação. A forma de uma pessoa tem relação direta com sua dimensão de vida. E a estruturação de uma forma é, de fato, um destino e uma vida.

Há muita confusão na cabeça das pessoas, e talvez na cabeça dos profissionais, quanto à natureza da terapia. Por muito tempo, a meta de uma terapia era frustrar o paciente e fazer que ele resolvesse seus problemas por si mesmo. Mas a experiência mostra que a cura não ocorre em isolamento. Há necessidade de que uma outra pessoa compartilhe sua experiência com o paciente enquanto o ajuda a dar forma para sua própria experiência. A cura requer a voz e a interação humanas.

Terapeutas e pacientes igualmente precisam ampliar sua compreensão a respeito daquilo que acreditam ser o trabalho somático. A visão somática exige deles coragem para seguir seus próprios processos e formação. Que descubram como querem organizar sua vida e que vivam com sua máxima capacidade. Aquilo que a pessoa cria e forma permanece com ela por toda a vida. Se ela apenas vive, não participando de nada, se torna passiva à sua existência. Mas, se ela faz o esforço de formar algo para si, essa forma se torna sua organização, seu corpo e sua vida. É isso o que significa corporificar experiência.

Centro de Estudos Energéticos

O Centro de Estudos Energéticos (Center for Energetic Studies), de Berkeley, Califórnia, sob a direção de Stanley Keleman, busca estruturar uma moderna abordagem contemplativa para o autoconhecimento e a vida, na qual o processo subjetivo de uma pessoa dê origem a um conjunto de valores que, então, passarão a guiar o conjunto de sua vida. Os valores atuais estão progressivamente se divorciando de nossos processos mais profundos, e as experiências corporais têm sido mal compreendidas e relegadas a um segundo plano.

A realidade somática é uma realidade emocional muito mais ampla do que os padrões genéticos inatos de comportamento. Realidade emocional e realidade biológica são uma coisa só e não podem ser separadas nem distinguidas. O campo biológico também significa gênero — as respostas masculinas e femininas inatas, a identidade sexual com a qual nascemos. A realidade somática é o próprio centro da existência, a fonte de nossos sentimentos religiosos mais profundos e percepções psicológicas.

As aulas e os programas do Centro oferecem uma prática psicofísica que põe em funcionamento os modos básicos como alguém aprende. A questão-chave é como usamos a nós mesmos — aprendendo a linguagem de como as vísceras e o cérebro usam os músculos para criar o comportamento. Essas aulas ensinam o aspecto somático essencial de todos os papéis que desempenhamos e dramatizam as possibilidades de ação para aprofundar o sentido de conexão com os diversos mundos dos quais todos nós participamos.

Para maiores informações, escrever para:

Center for Energetic Studies
2045 Francisco Street
Berkeley, California 94709
USA

NOVAS BUSCAS EM PSICOTERAPIA
VOLUMES PUBLICADOS

1. *Tornar-se presente — Experimentos de crescimento em Gestalt-terapia* — John O. Stevens.
2. *Gestalt-terapia explicada* — Frederick S. Perls.
3. *Isto é Gestalt* — John O. Stevens (org.).
4. *O corpo em terapia — a abordagem bioenergética* — Alexander Lowen.
5. *Consciência pelo movimento* — Moshe Feldenkrais.
6. *Não apresse o rio (Ele corre sozinho)* — Barry Stevens.
7. *Escarafunchando Fritz — dentro e fora da lata de lixo* — Frederick S. Perls.
8. *Caso Nora — consciência corporal como fator terapêutico* — Moshe Feldenkrais.
9. *Na noite passada eu sonhei...* — Medard Boss.
10. *Expansão e recolhimento — a essência do t'ai chi* — Al Chung-liang Huang.
11. *O corpo traído* — Alexander Lowen.
12. *Descobrindo crianças — a abordagem gestáltica com crianças e adolescentes* — Violet Oaklander.
13. *O labirinto humano — causas do bloqueio da energia sexual* — Elsworth F. Baker.
14. *O psicodrama — aplicações da técnica psicodramática* — Dalmiro M. Bustos e colaboradores.
15. *Bioenergética* — Alexander Lowen.
16. *Os sonhos e o desenvolvimento da personalidade* — Ernest Lawrence Rossi.
17. *Sapos em príncipes — programação neurolingüística* — Richard Bandler e John Grinder.
18. *As psicoterapias hoje — algumas abordagens* — Ieda Porchat (org.)
19. *O corpo em depressão — as bases biológicas da fé e da realidade* — Alexander Lowen.
20. *Fundamentos do psicodrama* — J. L. Moreno.
21. *Atravessando — passagens em psicoterapia* — Richard Bandler e John Grinder.
22. *Gestalt e grupos — uma perspectiva sistêmica* — Therese A. Tellegen.
23. *A formação profissional do psicoterapeuta* — Elenir Rosa Golin Cardoso.
24. *Gestalt-terapia: refazendo um caminho* — Jorge Ponciano Ribeiro.
25. *Jung* — Elie J. Humbert.
26. *Ser terapeuta — depoimentos* — Ieda Porchat e Paulo Barros (orgs.)
27. *Resignificando — programação neurolingüística e a transformação do significado* — Richard Bandler e John Grinder.

28. *Ida Rolf fala sobre Rolfing e a realidade física* — Rosemary Feitis (org.)
29. *Terapia familiar breve* — Steve de Shazer.
30. *Corpo virtual — reflexões sobre a clínica psicoterápica* — Carlos R. Briganti.
31. *Terapia familiar e de casal* — Vera L. Lamanno Calil.
32. *Usando sua mente — as coisas que você não sabe que não sabe* — Richard Bandler.
33. *Wilhelm Reich e a orgonomia* — Ola Raknes.
34. *Tocar — o significado humano da pele* — Ashley Montagu.
35. *Vida e movimento* — Moshe Feldenkrais.
36. *O corpo revela — um guia para a leitura corporal* — Ron Kurtz e Hector Prestera.
37. *Corpo sofrido e mal-amado — as experiências da mulher com o próprio corpo* — Lucy Penna.
38. *Sol da Terra — o uso do barro em psicoterapia* — Álvaro de Pinheiro Gouvêa.
39. *O corpo onírico — o papel do corpo no revelar do si-mesmo* — Arnold Mindell.
40. *A terapia mais breve possível — avanços em práticas psicanalíticas* — Sophia Rozzanna Caracushansky.
41. *Trabalhando com o corpo onírico* — Arnold Mindell.
42. *Terapia de vida passada* — Livio Tulio Pincherle (org.).
43. *O caminho do rio — a ciência do processo do corpo onírico* — Arnold Mindell.
44. *Terapia não-convencional — as técnicas psiquiátricas de Milton H. Erickson* — Jay Haley.
45. *O fio das palavras — um estudo de psicoterapia existencial* — Luiz A.G. Cancello.
46. *O corpo onírico nos relacionamentos* — Arnold Mindell.
47. *Padrões de distresse — agressões emocionais e forma humana* — Stanley Keleman.
48. *Imagens do self — o processo terapêutico na caixa-de-areia* — Estelle L. Weinrib.
49. *Um e um são três — o casal se auto-revela* — Philippe Caillé
50. *Narciso, a bruxa, o terapeuta elefante e outras histórias psi* — Paulo Barros
51. *O dilema da psicologia — o olhar de um psicólogo sobre sua complicada profissão* — Lawrence LeShan
52. *Trabalho corporal intuitivo — uma abordagem Reichiana* — Loil Neidhoefer
53. *Cem anos de psicoterapia... — e o mundo está cada vez pior* — James Hillman e Michael Ventura.
54. *Saúde e plenitude: um caminho para o ser* — Roberto Crema.
55. *Arteterapia para famílias — abordagens integrativas* — Shirley Riley e Cathy A. Malchiodi.
56. *Luto — estudos sobre a perda na vida adulta* — Colin Murray Parkes.
57. *O despertar do tigre — curando o trauma* — Peter A. Levine com Ann Frederick.
58. *Dor — um estudo multidisciplinar* — Maria Margarida M. J. de Carvalho (org.).
59. *Terapia familiar em transformação* — Mony Elkaïm (org.).
60. *Luto materno e psicoterapia breve* — Neli Klix Freitas.
61. *A busca da elegância em psicoterapia — uma abordagem gestáltica com casais, famílias e sistemas íntimos* — Joseph C. Zinker.
62. *Percursos em arteterapia — arteterapia gestáltica, arte em psicoterapia, supervisão em arteterapia* — Selma Ciornai (org.)
63. *Percursos em arteterapia — ateliê terapêutico, arteterapia no trabalho comunitário, trabalho plástico e linguagem expressiva, arteterapia e história da arte* — Selma Ciornai (org.)
64. *Percursos em arteterapia — arteterapia e educação, arteterapia e saúde* — Selma Ciornai (org.)

ANATOMIA EMOCIONAL
A estrutura da experiência
Stanley Keleman

Uma profunda reflexão sobre as conexões entre a anatomia e os sentimentos, a forma e as emoções. O autor é pioneiro no estudo do corpo e sua relação com os aspectos emocionais, psicológicos, sexuais e imaginativos da experiência humana. Um dos principais representantes da linha néo-reichiana nos EUA.

www.gruposummus.com.br